Série Coup de foudre

DEBORAH BENET

Histoire
d'une passion

Les livres que votre cœur attend

Titre original : *Sweet passion's song* (13)
© 1983, Deborah E. Camp
Originally published by
THE NEW AMERICAN LIBRARY
New York

Traduction française de : Marie Robert
© 1985, Éditions J'ai Lu
27, rue Cassette, 75006 Paris

Chapitre 1

SABRA REYNOLDS RACCROCHA ET POUSSA UN PROFOND soupir de découragement devant la montagne de papiers accumulés sur son bureau. Elle désespérait de venir un jour à bout de tout ce qu'elle avait encore à faire.

— Ne vous en faites pas, vous sortirez bientôt du tunnel, lui dit Suzanne Milton, touchée par sa lassitude. Vous avez appelé l'aéroport pour l'heure d'atterrissage ?

— Oui, à l'instant. Aucun retard n'est prévu.

— Bien. L'air conditionné de la salle de répétitions est en panne, vous devriez voir ce que l'on peut faire. Jamais Ted n'acceptera de chanter dans une salle où règne une chaleur caniculaire.

— Entendu, je m'en occupe.

Comme toujours, Suzanne était de bonne humeur et fraîche comme une rose. Ni la fatigue ni les soucis ne semblaient avoir prise sur elle.

Sabra avait beau se recoiffer plusieurs fois par jour, se rafraîchir le visage et se remettre du rouge à lèvres, quand elle se voyait dans la glace elle était démoralisée par ses traits tirés, ses yeux cernés et son air abattu.

Qu'était devenue la jeune femme pleine de vie et d'allant, toujours prête pour les aventures les plus périlleuses qu'elle était un mois plus tôt ? En devenant l'assistante personnelle, le bras droit d'un chanteur à succès, elle se trouvait plongée dans un monde trépidant, fort différent du milieu feutré et raffiné de son ancien patron.

Le plus charmant des hommes ce Franz Lieberten, un violoniste de très grand talent qui l'avait introduite dans l'univers délicat et sophistiqué de la grande musique où elle avait goûté aux joies des soirées habillées, des hôtels élégants mais calmes, des rapports courtois et surtout d'un emploi du temps modérément chargé.

Quand il avait annoncé son intention de se retirer, Sabra avait été très tentée d'en faire autant mais Franz n'avait pas voulu en entendre parler et il avait insisté pour qu'elle devienne l'assistante de son jeune ami, Ted Jeppeson.

Sabra se redressa sur sa chaise et entreprit de classer des papiers mais le souvenir de sa première entrevue avec Ted s'imposa à son esprit.

Elle ne savait pas exactement ce qui l'attendait mais elle s'était longuement préparée à cette rencontre. Elle avait écouté d'innombrables disques du chanteur et était allée jusqu'à Dallas où il donnait une soirée au bénéfice d'un hôpital pour enfants.

Son incroyable présence en scène et sa voix grave aux accents profonds envoûtaient le public. Quand il avait terminé son concert par un baiser adressé à la foule, la jeune voisine de Sabra avait failli s'évanouir !

Sabra n'avait pas cédé à la folie collective mais incontestablement elle avait subi le charme.

Le lendemain, lorsqu'elle se rendit au rendez-vous qu'il lui avait donné, elle était anormalement nerveuse et sa main tremblait un peu en frappant à la porte de son bureau.

Elle s'attendait à se trouver en face d'un artiste infatué de sa personne, un peu hautain. Pas du tout. Il lui avait dit d'entrer et n'avait même pas levé la tête quand elle avait poussé la porte. Il était debout devant son bureau sur lequel étaient étalées une dizaine de grandes photos de lui, qu'il examinait d'un air songeur, voire intrigué ou gêné.

Il portait une chemise blanche aux manches retroussées et un simple pantalon de toile noire qui soulignait sa silhouette élancée ; il était plus grand qu'il ne paraissait en scène, au moins un mètre quatre-vingt-cinq, et sa chevelure bouclée tempérait quelque peu la gravité de son expression. Lorsqu'il la regarda, enfin, Sabra resta clouée sur place, tant la chaleur et la douceur de ses yeux vert d'eau étaient fascinantes !

— Sabra Reynolds ?

— Oui.

Sa voix était aussi mélodieuse et profonde à la ville qu'à la scène. Il avait juste prononcé son nom, mais sur un ton si chaleureux qu'elle avait l'impression de le connaître intimement.

— Je ne voudrais pas vous déranger, articula-t-elle difficilement, mais nous avons rendez-vous.

— Je sais.

Il l'invita à s'asseoir et se replongea dans la contemplation de ses photos.

— Je me vois toujours comme un étranger quand je suis pris en scène, dit-il. Qu'en pensez-vous ?

— Moi, je les trouve fantastiques, affirma Sabra. Elles sont destinées à une campagne de publicité ?

— Peut-être. Elles ont été prises au cours du concert que j'ai récemment donné à Dallas.

— C'est bien ce qui me semblait. J'y étais.

— Ah oui ? Comment m'avez-vous trouvé ?

— J'ai passé une excellente soirée.

Un sourire affleura ses lèvres mais il garda les yeux baissés sur les photos.

— Je ne vous ai pas trop écorché les oreilles ?

Sans attendre une quelconque protestation ou une réponse flatteuse, il ajouta :

— Je ne voudrais pas vous faire perdre votre temps, Sabra. J'ai toute confiance dans le jugement de Franz ; si ça vous intéresse de travailler pour moi, c'est d'accord.

— Sans même jeter un coup d'œil à mon curriculum vitæ ?

— Je n'en ai aucun besoin. Je suis certain que vous avez toutes les qualités requises pour ce genre de travail.

Un très court instant, il leva les yeux sur elle.

— Je me fie toujours à ma première impression et je me trompe rarement. Vous me plaisez, c'est suffisant.

Il avait prononcé ces paroles d'une voix égale sans y mettre le moindre sentiment.

— Je serai heureuse de travailler avec vous. C'est très différent du milieu auquel je suis habituée mais le changement sera sûrement intéressant.

— Vous vous apercevrez vite que la musique est la musique quel que soit son style ; c'est en tout cas ma conviction. Classique ou moderne, je trouve qu'une musique est bonne si je l'aime. Certaines chansons actuelles sont de grands moments d'émotion. Nous autres musiciens, nous puisons aux mêmes sources ; nous n'avons que sept notes et quelques octaves à notre disposition pour créer des œuvres aussi différentes que possible.

Elle hocha la tête mais ne se permit aucun commentaire. Il était évidemment infiniment plus expert qu'elle en la matière.

— Quand souhaiteriez-vous que je commence ?

— Lundi prochain, si ce n'est pas trop précipité.

— Pas du tout. Ce sera parfait.

— Je pars en vacances, je ne serai donc pas là. Suzanne vous mettra au courant. Je suppose que c'est elle qui vous a reçue. A mon retour, dans quelques semaines, nous mettrons la dernière main à la préparation de ma prochaine tournée. C'est à ce moment-là que les choses deviendront sérieuses et que j'aurai vraiment besoin de vous.

— Je l'espère bien. Je me réjouis à l'avance de vous seconder. En attendant, bonnes vacances, ajouta-t-elle en se levant.

Il en fit autant, contourna son bureau et serra la main qu'elle lui tendait avec une certaine timidité qui la surprit fort.

— Oh ! Une précision avant que vous ne partiez, reprit Ted. N'acceptez aucune interview pour moi sans mon accord formel. Je déteste les journalistes et j'ai encore plus horreur de toutes les stupidités qu'ils racontent. Je tiens à ma vie privée !

— Entendu. Pourtant un peu de publicité ne vous ferait pas de mal avant de partir en tournée, dit-elle en jetant un dernier coup d'œil aux photos.

— Peu importe. Laquelle préférez-vous ?

— Celle-ci, répondit-elle sans hésiter en mettant le doigt sur un cliché.

Ted avait été pris en gros plan au milieu d'une chanson tendre. Les yeux mi-clos, une ombre de sourire au coin des lèvres, les cheveux en bataille, il semblait mettre toute son âme dans sa musique comme si le monde avait cessé d'exister.

— Va pour celle-ci, accepta Ted en riant douce-ment. Je suis trop concerné pour avoir un avis objectif.

En quittant son bureau, elle avait discuté avec Suzanne, n'écoutant la conversation que d'une oreille. Elle était trop préoccupée par le Ted Jeppe-son qu'elle venait de voir et qui ne ressemblait en rien à celui qu'elle avait imaginé.

9

Revenant au présent, elle songea aux multiples facettes de la personnalité de Ted qu'elle avait découvertes depuis un mois qu'elle travaillait pour le chanteur. La publicité offrait au public une image de lui très partielle mais la plus attirante possible. Ainsi l'affiche qu'elle avait sous les yeux toute la journée avait été fabriquée pour séduire le public : pris en pied, les jambes légèrement écartées, moulées dans un pantalon bleu marine, la guitare à la main, il était l'image même du héros moderne rendant grâce à sa divinité : la musique. Le halo de lumière, derrière lui, qui faisait paraître sa chevelure encore plus noire et plus abondante, renforçait cette impression.

Au naturel, il n'était pas classiquement beau mais plein de charme, de séduction, de sensibilité, et de toute sa personne émanait une sensualité qui le rendait proprement irrésistible.

Sortant de sa rêverie, Sabra regarda autour d'elle ; elle avait hâte de quitter ce bureau et tous ses occupants pour partir en tournée avec Ted. Les voyages l'exaltaient, c'est pourquoi elle avait choisi ce genre de carrière où on échappait au travail de secrétariat ordinaire qu'elle avait en horreur.

Au cours des huit années passées avec Franz Lieberten, elle avait appris à se débrouiller avec la presse, avec les directeurs d'hôtels ou de salles de concerts, avec les employés des agences de voyages ou des aéroports, elle avait organisé des dîners, des réceptions, avait imaginé toutes les formes de publicité et contrôlé la parution des articles, l'impression des affiches ou celle des programmes. Mais elle avait toujours eu le temps de tout faire.

Avec Ted, la tâche serait autrement difficile ! Ce serait une perpétuelle course contre la montre. Tout le monde, dans son entourage, s'accordait à dire qu'il était un enragé du travail, un perfectionniste,

10

un acharné. Celui qui ne suivait pas son rythme était rapidement abandonné.

Sabra se fit le serment de ne pas être une assistante parmi toutes les autres mais la seule capable d'assumer son rôle jusqu'au bout.

— Bonjour tout le monde ! Il est de retour ?

Sabra se retourna et vit entrer une petite jeune femme rousse, les bras chargés d'une corbeille de fleurs presque aussi grande qu'elle.

— Linda ! s'écria Suzanne, quelle surprise ! Pour qui sont ces superbes fleurs ?

— Ce n'est qu'un bouquet de bienvenue pour notre vedette de la part d'Allan et de la mienne. Il n'est pas encore rentré des Caraïbes ?

— Il devrait être là dans un peu moins d'une heure, précisa Suzanne après un rapide coup d'œil à la pendule.

— Cette charmante jeune personne est-elle sa nouvelle assistante ? demanda Linda en désignant Sabra.

— Excusez-moi, dit Suzanne, j'oubliais que vous ne vous étiez encore jamais rencontrées. Sabra Reynolds, Linda Simmons, l'ex-femme de Ted.

— Ravie de vous connaître, dit Sabra qui se leva pour lui serrer la main et l'étudier avec une attention toute particulière.

— Vous êtes l'ancienne assistante de Franz Lieberten, n'est-ce pas ?

— Oui, c'est exact.

— Vous n'allez pas seulement changer de musique ma pauvre ! Ne vous laissez pas tuer à la tâche. Je ne peux pas rester, ajouta Linda, en se tournant vers Suzanne. Dites-lui que je suis passée et qu'Allan et moi espérons l'avoir à dîner un soir avant son départ en tournée.

— Comptez sur nous, promit Suzanne. Vos fleurs lui feront très plaisir.

— Vous savez bien que non, répliqua Linda. Il les a en horreur !

Et, riant aux éclats, elle disparut.

Sabra ne put taire sa curiosité.

— Il y a longtemps qu'ils sont divorcés ? demanda-t-elle.

— Quatre ans, je crois. Peut-être cinq. Elle s'est remariée avec Allan Simmons, l'avocat de Ted.

— Ah oui, je le connais, il est venu ici, l'autre jour. Combien de temps sont-ils restés ensemble ?

— Deux ans. Je ne crois pas que leur mariage ait été une grande passion, précisa Suzanne avec une nuance de tristesse dans la voix.

Sabra fit mine de chercher dans ses papiers et de travailler pendant un moment puis, l'air détaché, demanda :

— Ils ont des enfants ?

— Non. Ce fut un mariage banal et un divorce sans histoire. Maintenant ils sont bons amis. En fait, c'est ce qu'ils ont toujours été.

Bons Amis c'était le titre d'une des chansons composée par Ted plusieurs années auparavant. Avait-elle été inspirée par leur couple ?

Sabra n'eut pas le loisir de s'interroger plus longtemps.

— Ted ! s'exclama Suzanne, vous voilà enfin !

Suzanne et tout le personnel se précipitèrent pour le saluer ou l'embrasser. Un peu à l'écart, Sabra l'observait discrètement, notant son visage détendu et le costume blanc impeccablement coupé qui mettait en valeur son bronzage. Mettant fin aux effusions, Ted s'adressa à elle :

— Vous êtes encore là ? s'étonna-t-il. C'est bon signe.

— Bien sûr, elle est encore là ! s'indigna Suzanne. Ce n'est pas nous qui faisons fuir vos secrétaires !

— C'est vrai. Je suis un tel tyran !

— Vous avez bien profité du soleil, dit Sabra, un peu platement.

— Oui, mais c'est fini maintenant. Venez avec moi, Sabra, ajouta-t-il en poussant la porte de son bureau, je voudrais savoir où nous en sommes.

Elle rangea précipitamment quelques papiers dans un volumineux dossier et le suivit. Un étrange état de surexcitation la saisit qu'elle mit sur le compte de sa hâte à partir en tournée. Le retour de Ted signifiait que bientôt elle ne serait plus enfermée entre ces quatre murs. Pourtant, au fond d'elle-même, une petite voix lui disait qu'autre chose faisait battre son cœur.

Elle s'installa dans un fauteuil de cuir face à sa table et le suivit des yeux tandis qu'il rangeait son sac de voyage dans un placard. Etaient-ce ses gestes qui retenaient son attention, la souplesse de son allure ou plus précisément un triangle de peau dorée qu'elle apercevait de temps en temps par l'échancrure de sa chemise largement ouverte ?

— Alors, dit-il, coupant court aux divagations de Sabra, quoi de neuf ? Tout est-il prêt pour le départ ? Pas de complications, d'imprévus ?

— Le climatiseur de la salle de répétitions est en panne.

— Si on ne peut pas le réparer, louez une autre salle pour une semaine.

— Je vais essayer.

— Vous n'avez rien d'autre à m'apprendre ?

— Non. A Las Vegas tout est en place. On vous attend avec impatience.

— Vous avez obtenu la chambre que je voulais à l'hôtel ?

— Oui. Dernier étage, aile nord.

— L'orchestre, le régisseur et vous seront logés au même hôtel ?

— Au même étage.

— Parfait, merci. Tenez-moi au courant pour la salle de répétitions.

— Je m'en occupe tout de suite.

Elle se prépara à sortir mais Ted l'arrêta.

— Sabra...

Comme au cours de leur première entrevue, il hésitait à la regarder en face.

— J'espère que vous vous plaisez parmi nous. Moi, je pense que j'ai beaucoup de chance de vous avoir dans mon équipe. Pour Franz vous êtes la perle des perles !

— Merci, vous êtes trop gentil. Avez-vous passé de bonnes vacances ?

— Pas mauvaises, répondit-il avec un haussement d'épaules. Je n'ai pas autant écrit que je l'aurais voulu. Qui a envoyé cette corbeille de fleurs ?

— Linda. Elle et son mari voudraient vous avoir à dîner avant votre départ.

— Appelez-la et demandez-lui si vendredi lui conviendrait.

L'humeur de Sabra, quand elle s'assit à sa table et se prépara à téléphoner à Linda et au régisseur à propos du climatiseur, était bien meilleure que lorsqu'elle fourrageait dans ses papiers une heure plus tôt. L'approche de la tournée, qui maintenant ne semblait plus seulement un rêve mais une réalité tangible, lui avait nettement remonté le moral.

Une fois de plus, ses yeux se portèrent sur l'affiche en face d'elle. Comme lors de leur première rencontre, elle avait remarqué que Ted manquait de la confiance en soi, de la belle assurance dont la photo donnait l'illusion.

Dans sa vie privée, Ted Jeppeson était timide, secret, et probablement assez solitaire contrairement à Franz Lieberten qui avait toujours accepté sa notoriété avec joie, et accueilli les journalistes et les admirateurs avec plaisir et gratitude.

14

La célébrité semblait peser à Ted qui cherchait l'isolement et refusait les interviews! Comme l'image publique d'un homme pouvait être trompeuse!

Le lendemain Sabra suivit le début d'une répétition du fond de la salle.

Les musiciens ne lui parurent pas différents de tous ceux des orchestres philharmoniques qu'elle avait connus jusqu'alors, aux vêtements et à la coiffure près. Ils étaient aussi concentrés et aussi absorbés par leur travail que leurs confrères classiques. Tous suivaient avec la même attention les indications du chef et cherchaient la perfection avec le même acharnement et la même application.

Au premier geste de Nick Steinburg, le batteur et chef d'orchestre, la musique emplit la salle et, sous les yeux émerveillés de Sabra, Ted fit son entrée. Il semblait transfiguré, emporté par la mélodie dont il suivait le rythme d'un doux balancement des hanches. Il fronça légèrement les sourcils, ferma à demi les yeux et commença à chanter.

Sa voix était chaude, profonde et grave avec, de temps à autre, des accents rocailleux bien particuliers qui avaient fortement contribué à son succès dès le début de sa carrière.

Sabra n'aurait pas su dire ce qui l'attirait le plus : le physique et la grâce de Ted, sa voix, sa musique ou bien la mélancolie de la chanson qu'il avait écrite et qui racontait l'histoire d'un homme voué à la solitude, touchant le cœur des autres mais incapable de les aimer.

Elle balança la tête au rythme de la musique et, fermant les yeux, elle se laissa aller à la magie qui s'était emparée d'elle.

L'orchestre joua encore plusieurs secondes après que Ted se fut tu. Sabra sortit difficilement de son rêve, reprit lentement ses esprits et s'approcha discrètement de son patron, en grande discussion avec son batteur et un des guitaristes.

Nick lui sourit et Ted se retourna.

— Puis-je vous interrompre un instant? demanda-t-elle.

— Je vous en prie. De quoi s'agit-il?

— On a téléphoné du magazine *Pinnacle*. Ils voudraient faire un papier sur vous en insistant sur le fait que vous aurez trente-cinq ans cette année.

— Ils n'ont vraiment rien à se mettre sous la dent si mon trente-cinquième anniversaire les inspire.

— Naturellement, ils voudraient une interview. Que dois-je répondre?

— Un non catégorique.

— Ce serait pourtant une bonne publicité avant la tournée.

— Je n'ai pas besoin de publicité, rétorqua Ted en lui tournant carrément le dos. De toute façon, avec ou sans ma participation, ils publieront leur copie.

— Sûrement, c'est pourquoi il me semblait...

— Sabra! Non, c'est non! cria-t-il en se retournant brusquement. Je n'ai pas de temps à perdre avec des stupidités pareilles.

Le ton était dur, le regard furibond. Sabra recula d'un pas.

— C'est entendu, je vais leur dire. Désolée de vous avoir dérangé.

— Ce n'est pas grave.

Il reprit sa guitare et aussitôt oublia son assistante.

Malgré le sourire et le clin d'œil complice de Nick, Sabra se sentait franchement rejetée comme quantité négligeable.

Tandis qu'elle retournait au bureau, la colère l'étouffait.

Jamais personne, pas même Franz, ne lui avait parlé de la sorte! Franz aurait sauté sur l'occasion d'avoir une double page dans *Pinnacle*. Alors que lui, un chanteur de rock, il méprisait l'hommage qu'on lui rendait et considérait les journalistes comme des ânes bâtés ! Pour qui se prenait-il, à la fin !

En arrivant à destination, elle était un peu plus calme et se répétait qu'après tout ce n'était pas à elle de décider, qu'elle était là pour faire ce qu'on lui demandait et que, si Ted ne voulait pas des chances qui s'offraient spontanément à lui, c'était son affaire.

Néanmoins, elle resta de mauvaise humeur jus- qu'à la fin de l'après-midi, d'autant qu'elle eut à faire patienter la costumière de Ted au caractère acariâtre.

— Je suis désolée, madame Goldstein, dit-elle en versant son troisième café à la pauvre femme, je ne sais pas où il est. J'ai appelé à la salle de répétitions, l'orchestre a levé la séance à quatre heures.

— Je sais bien qu'il est débordé, grommela la couturière, mais moi aussi. Il a insisté pour avoir ses costumes à cinq heures. Il est plus de la demie et...

— Il ne va sûrement plus tarder. Il a peut-être été pris dans un embouteillage.

— Je vous en prie ! la salle est à deux cents mètres d'ici. Dans cinq minutes je m'en vais.

— Je pourrais peut-être regarder les costumes...
Au même moment Ted arriva.

— Ah ! vous voilà, soupira Sabra. Mme Emma Goldstein vous attend depuis...

— Emma ! je suis navré. Je me suis arrêté pour acheter un bretzel et une bande de gamins m'a demandé des autographes. Qui pourrait croire qu'on risque d'être remarqué et reconnu au milieu de la foule de New York !

— Ce n'est rien, mon petit poulet. Je disais justement à votre assistante que vous deviez être dans les encombrements ou retenu par Dieu sait quoi. Ce n'est pas grave, je vous assure, pas grave du tout.

Sabra faillit avaler son café de travers.

Tandis que Ted aidait Emma à se lever du canapé, la jeune femme la fusilla du regard.

— Prenez votre paquet, Emma, reprit Ted, et venez dans mon bureau. Je vais essayer mes costumes tout de suite.

Il poussa la couturière vers la pièce voisine et, avant de la suivre, s'arrêta près de Sabra. Quand il lui prit gentiment la main, elle sursauta ; son cœur s'emballa et sa gorge se noua.

— Je n'aurais pas dû me mettre en colère, tout à l'heure à la répétition. Vous me pardonnez ?

Incapable de proférer un son, elle hocha la tête.

— Merci. Vous pouvez partir, maintenant, nous nous verrons demain.

Il se pencha et lui murmura à l'oreille :

— Merci aussi d'avoir su faire patienter Emma. A charge de revanche.

Quand Ted fut enfermé dans son bureau, Sabra retrouva la force de sourire.

Cet homme était vraiment dangereux. Si elle n'y prenait garde, il aurait tôt fait de la tenir entièrement à sa merci et d'en faire ce qu'il voudrait ! Cette perspective l'effrayait bien un peu, mais elle lui paraissait également des plus séduisantes.

Sabra, debout à la fenêtre de sa chambre d'hôtel, contemplait Las Vegas, brillant de tous ses néons, trop tape-à-l'œil pour son goût.

Lentement elle traversa la pièce, s'assit sur le lit et enfila ses sandales dorées.

Elle visitait Las Vegas pour la première fois. Ce n'était évidemment pas une ville pour Franz ; par contre, Ted y ferait certainement un triomphe.

D'énormes affiches annonçant ses concerts jalonnaient les rues ; pendant le trajet entre l'aéroport et l'hôtel, Sabra lui avait fait remarquer cette publicité tapageuse mais il n'y avait prêté aucune attention, préférant se concentrer sur son emploi du temps des jours à venir.

Bien sûr ! Il en avait vu des centaines semblables au cours de sa carrière ! Pour lui, c'était la moindre des choses de se voir en portraits géants sur tous les murs de la ville !

Sabra se leva, lissa la jupe de sa robe du soir et s'inspecta une dernière fois dans la glace. Pas question qu'un seul petit détail ne détonne !

Elle prit son sac, la bouteille de vin qui attendait sur la commode, et relut le mot de Ted pour la dixième fois :

« Vous apportez du vin, je commande à dîner et à la lueur des bougies, nous parlerons de mon terrible programme pour la journée de demain. A huit heures ? Ted. »

Avec Franz, sa vie professionnelle avait été infiniment plus calme certes, mais nettement moins passionnante. Jamais il ne l'avait invitée à dîner dans sa chambre à la veille d'un concert.

Elle longea le corridor, compta une, deux, trois portes et frappa doucement à la quatrième.

— Qui est là ?

— Sabra.

— Juste à l'heure ! s'exclama-t-il en lui ouvrant la porte. Comme vous êtes élégante ! Etes-vous sûre de ne pas vous être trompée de réception ?

En le voyant vêtu d'un simple jean et d'un tee-shirt bleu marqué à son nom en grosses lettres blanches, elle rougit.

— Je... je me suis laissé gagner par l'éclat de Las Vegas. Je suis confuse.

— Ne vous excusez pas, c'est charmant. Vous êtes très belle. Donnez-moi cette bouteille et venez vous asseoir.

Il lui désignait une table dans un coin de la pièce, où deux couverts étaient dressés autour d'un chandelier d'argent.

Dans une des deux assiettes était posée une superbe rose jaune.

— Elle est pour moi ? demanda-t-elle. C'est ma place ?

— Bien sûr, en hommage à votre beauté. J'ai l'impression d'assister en tenue de sport à un dîner en smoking !

— Non, c'est moi qui détonne, protesta Sabra, avec un sourire gêné. Je n'aurais pas dû m'habiller.

— Ne soyez pas ridicule, vous êtes superbe. Vous aimez les brochettes de mouton ?

— Beaucoup.

Tandis que Ted la servait, elle porta la rose à son nez et huma longuement son parfum.

— Vous êtes vraiment gentil. Elle est si jolie !

— C'est bien peu de chose. Parlez-moi un peu de vous, d'où venez-vous ?

— De l'Oklahoma.

— Tulsa ?

— Comment le savez-vous ?

— J'ai deviné, comme ça, au hasard. J'ai chanté souvent à Tulsa, c'est une jolie ville.

— J'aime bien. Mes parents y vivent toujours et je vais les voir deux ou trois fois par an.

— Avez-vous des frères et sœurs ?

— Une sœur, Carolyne. Elle est infirmière et habite à Tulsa, elle aussi. Et vous ? Etes-vous d'une famille nombreuse ?

— J'ai juste un frère à Yonkers, au nord de New York. Mes parents sont à Brooklyn où j'ai été élevé. Impossible de cacher mon accent, n'est-ce pas ?

— On l'entend de temps à autre quand vous êtes avec vos musiciens ou lorsque vous vous fâchez.

— Que pensez-vous de votre travail jusqu'à présent ?

— Il me plaît. C'est assez différent de mon précédent emploi.

— J'imagine que je n'ai rien de commun avec Franz ?

— Non, sinon que vous êtes tous deux d'excellents musiciens et des gentlemen.

— Moi ? Un gentleman ?

Un léger soupir lui échappa.

— Je ne vous ai pas vexé, au moins ?

— Pas du tout. Mais passons aux choses sérieuses. Quel est mon emploi du temps pour demain ?

— A neuf heures, vous êtes à la salle et vous vérifiez l'installation et le matériel. A midi vous déjeunez avec le patron de l'hôtel, M. George McCormick.

— C'est vrai ! Nous sommes de vieux amis.

— Ensuite vous êtes libre jusqu'à la représentation du soir, à vingt et une heures.

— Parfait. Dorénavant, ne me prenez aucun rendez-vous avant midi. Tant que nous sommes ici, en tout cas.

— Vous dormez tard ?

— Non, mais je ne veux pas travailler le matin.

— J'y veillerai.

— Avez-vous aussi du mal à sortir du lit de bonne heure ?

— Pas particulièrement. Pourquoi ?

— Simple curiosité. Vous étiez déjà venue à Las Vegas ?

— Jamais.

— Vous plaisantez ! dit-il avec un large sourire.

Il remplit une nouvelle fois leurs verres, repoussa son assiette et, sans la quitter des yeux, s'adossa confortablement à sa chaise.

— Quelle est votre première impression ?

— C'est très surprenant mais un peu brillant et agité pour mon goût.

— C'est le moins que l'on puisse dire !

— Et vous, aimez-vous cette ville ?

— Disons que je n'y viens jamais pour le plaisir. Seulement par obligation professionnelle.

Elle l'interrogea sur toutes les villes qu'il connaissait et fut étonnée des descriptions colorées et originales qu'il en faisait. Ted était un vrai poète !

— Ma préférée est Paris, s'exclama-t-il, la reine des villes !

Il se leva de table et se dirigea vers la fenêtre où il appuya son front d'un air songeur.

— Si le dieu de l'amour a vécu quelque part c'est certainement à Paris.

Confortablement adossée, Sabra dégustait son vin et contemplait Ted, éclairé par les enseignes au néon dont les lumières intermittentes dansaient comme autant de flammes bleues ou rouges.

Peu à peu, sa voix se faisait plus douce et plus grave et Sabra se laissait bercer par ses accents mélodieux qui l'émouvaient autant que le chant d'un violoncelle.

— J'avais vingt et un ans quand j'ai visité Paris pour la première fois, disait-il, tout le monde devrait y aller à cet âge-là. C'est dommage que vous n'ayez travaillé pour Franz qu'à la fin de sa carrière. Il a beaucoup voyagé en Europe et les Parisiens l'ont toujours adoré. Je me souviens de ce premier voyage. On aurait pu croire que la ville était en fête juste pour moi. Les arbres étaient verts, les fleurs des jardins embaumaient, les fontaines chantaient, la nourriture était fabuleuse et les femmes... Que les femmes étaient belles !

Cette remarque lui fit un petit pincement au cœur. Sabra aurait donné cher pour connaître son passé.

— Vous avez toujours été un peu timide ? laissa-t-elle échapper sans réfléchir à l'incongruité de sa question.

Il ne parut pas s'en formaliser.

22

— Timide ? Oui, sans doute. C'est bizarre, parfois la timidité me paralyse et parfois...

Tout en parlant, il se rapprocha d'elle.

— Parfois, quand je vois une beauté comme vous, j'ai l'audace de tendre la main et de la toucher.

Elle ne bougea pas, ne se défendit pas lorsque du bout des doigts il suivit le contour de son visage et effleura légèrement ses lèvres. Simplement, elle regrettait de ne pouvoir embrasser cette main si caressante.

— Sabra ?

Elle plongea son regard dans celui de Ted mais il baissa les yeux et soupira.

— Sabra, je crois qu'il faut être raisonnable.

Il enfouit sa main dans la poche de son jean.

— Ce serait dommage de risquer de nuire à nos excellentes relations de travail.

Décontenancée, elle répliqua :

— Mais c'est vous qui avez commencé !

— Je sais. Aussi vais-je m'arrêter immédiatement. Pardonnez-moi, je suis d'une grande faiblesse avec les très belles femmes.

— Ne vous tourmentez pas, j'ai de la force pour deux. De toute façon, il faut que j'aille me coucher. J'ai un coup de téléphone à donner très tôt demain matin et la journée sera rude.

— Merci d'être venue dîner avec moi.

— Je suis toujours disponible lorsqu'il s'agit d'invitations professionnelles.

— Sabra, ne soyez pas dupe.

— Bonne nuit Ted, dormez bien.

Son départ était une sorte de fuite. Elle avait les jambes en coton. Un vrai miracle qu'elles aient pu la porter jusque chez elle. Aussitôt dans sa chambre, elle se jeta sur son lit.

Comme elle avait été courageuse ! Elle avait résisté à la tentation de rester chez lui alors qu'elle en guettait l'occasion depuis qu'elle le connaissait.

Pourtant, il avait raison. Mélanger le travail et le plaisir était un jeu dangereux auquel elle ne se risquerait pas.

Jamais elle ne danserait au son de sa séduisante musique personnelle !

Chapitre 2

DEPUIS TROIS JOURS QU'ILS ÉTAIENT À LAS VEGAS, SABRA avait eu tout loisir d'observer Ted.

Il a tout du cobra, songeait-elle en se préparant le matin pour faire un peu de jogging. Il fascine comme un serpent mais son charme risque de vous empoisonner. A la scène, il paraît assuré, dominateur, conquérant mais, dans la vie privée, il est discret et même timide. Cette dualité est très troublante : on a envie de se laisser guider par lui et, en même temps, de le protéger.

Sabra n'était pas la seule victime de son incroyable charme, de son magnétisme. La veille encore elle avait entendu un groupe de femmes dire, avant le spectacle, qu'elles n'étaient pas des fanatiques de Ted Jeppeson et ensuite, tandis qu'il chantait, elle les avait vues s'enthousiasmer et l'applaudir aussi frénétiquement que ses plus ferventes admiratrices.

Et elle ? Force lui était de s'avouer prise à son piège. D'abord, elle admirait profondément son talent et le don qu'il avait de communiquer au public son immense amour pour la musique. Ah ! Il

25

devait faire rêver bien des jeunes filles, le soir, dans l'intimité des chambres à coucher ! Sabra était de celles-là.

Miraculeusement, il résistait à l'adoration dont il était l'objet, ni par comédie ni par fausse modestie. Il était parfaitement conscient de sa valeur, comme n'importe quel autre artiste de talent, sans se montrer prétentieux ou satisfait de lui.

Sabra le suivait partout, suspendue à ses lèvres. Dès qu'il lui mettait la main sur l'épaule et la complimentait sur son efficacité, elle rougissait de plaisir. Toutefois, sa constante gentillesse envers tout le monde l'irritait car ce n'était que de l'indifférence polie. Elle espérait beaucoup plus de Ted et souhaitait qu'il la traite différemment du reste de ses collaborateurs.

De temps en temps, il paraissait lui porter plus que de l'amitié, comme la veille, quand elle l'avait rencontré dans le hall de l'hôtel alors qu'il sortait de chez le coiffeur.

Elle cherchait des cadeaux pour sa famille et, ne prêtant pas attention à ce qui se passait autour d'elle, elle avait bousculé quelqu'un venant en sens inverse. Gênée, elle avait bredouillé des excuses et levé les yeux sur sa victime : c'était Ted !

— Ce n'est que moi, avait-il plaisanté, je vous ai fait mal ?

— Non, pas du tout. Quel vent vous amène ici ?

— Je me suis fait couper les cheveux. Je vous plais ?

— Oui, avait-elle murmuré, dévorée de l'envie de glisser ses doigts dans son abondante chevelure. Comment osez-vous confier votre précieuse tête au premier venu ? Vous n'avez pas de coiffeur attitré ?

— Si, mais il est à New York. Quand il y a urgence, je lui fais des infidélités. Le temps des cheveux longs est passé pour moi.

— Vous aviez cédé à cette mode ?

— Quand j'étais jeune. C'était horrible et j'y ai renoncé avant que mes parents ne mettent à exécution leur menace de me déshériter.

— Je ne sais pas comment vous étiez alors, avait-elle répondu, mais j'aime bien la façon dont vous vous coiffez maintenant.

— Moi aussi, j'aime bien vos cheveux.

Lui, il avait osé jouer avec ses boucles. Avec le plus grand naturel, il l'avait prise aux épaules et avait enfoui son visage dans la masse sombre et soyeuse.

— Vous sentez tellement bon, avait-il chuchoté, on en mangerait !

— Ted...

C'était tout ce qu'elle avait pu articuler, mais cela avait suffi.

Il s'était redressé pour la regarder, prisonnière de ses bras tendus.

— Vous pensez à notre dîner l'autre soir ? Moi aussi j'y ai réfléchi. Je ne voudrais pas que vous me jugiez trop entreprenant. Je n'ai pas l'habitude de me conduire ainsi avec les femmes mais de ma vie je n'ai rencontré quelqu'un qui me mette autant...

— Ted Jeppeson en personne ! Venez voir ! l'avait interrompu la voix stridente d'une admiratrice.

La pauvre Sabra était restée sur sa faim, jamais elle n'avait su ce que Ted avait failli lui dire.

Résignée mais déçue, elle s'était éloignée et s'était remise à lécher les vitrines des boutiques.

Ce matin, tout en attachant ses cheveux avec un ruban rose qui s'accordait assez bien avec la couleur de son survêtement, elle s'interrogeait toujours sur cet aveu qu'il n'avait pas fait.

Le soleil était à peine levé, il faisait encore un peu frais. Las Vegas était relativement calme et la circulation infiniment moins intense que dans la journée.

Marchant d'un pas alerte, Sabra était pressée de

sortir de la ville et de laisser derrière elle les hôtels et les casinos.

Elle commençait à peine à courir lorsqu'une voiture ralentit à sa hauteur.

— Où allez-vous comme cela ?

Sabra sursauta et reconnut le sourire de Ted, assis confortablement à l'arrière d'une limousine noire.

— Je fais un peu de jogging, histoire de respirer et d'oublier la bousculade de la journée.

— Je partais m'aérer moi aussi, montez donc.

Elle hésita.

— Allons, venez, insista-t-il. Si c'est la solitude que vous cherchez, je connais un endroit idéal qui vous plaira follement.

Après tout, pourquoi pas ? Elle grimpa lestement et s'installa à ses côtés.

— Comment se fait-il que vous soyez dehors si tôt ? Quand je vous ai quitté cette nuit à deux heures vous étiez en joyeuse compagnie et pas du tout prêt à aller vous coucher.

— Pourtant je suis parti peu après vous car j'ai l'habitude de me lever de bonne heure.

— Vraiment ?

— Autrefois, je me promenais la nuit et je dormais le matin. En vieillissant, je suis devenu plus raisonnable et je m'en porte beaucoup mieux. En tournée, je finissais par passer mon temps à chanter, traîner dans des soirées et m'endormir écrasé de fatigue pour recommencer le lendemain. Je n'avais jamais une minute à moi pour me détendre, prendre le frais et m'éclaircir les idées.

— Où allons-nous ?

— Chez un ami. Quand je suis dans la région, il me laisse sa maison, sa piscine, son sauna, son bassin d'eau chaude, son gymnase, son tennis...

Les yeux écarquillés de Sabra le firent éclater de rire.

— C'est loin de tout, on s'y repose merveilleusement bien. Vous aimerez, j'en suis sûr.

— Je voulais tout simplement courir.

— Vous aurez toute la place autour de la piscine.

— Ne préférez-vous pas être seul ?

— Disons que j'ai changé d'avis, votre compagnie me plaît.

Le compliment la fit rougir et elle s'enfonça dans son siège pour savourer le plaisir d'avoir été choisie. Insidieusement, une idée se fit jour dans son esprit : la maison de l'ami servait-elle à Ted à chacun de ses voyages pour y amener ses conquêtes ? Etait-elle seulement la dernière en date ?

Ces troublantes questions lui gâchèrent un peu son plaisir, mais, comme elle n'y trouvait pas de réponse, elle les chassa de son esprit.

D'ailleurs, elle était de taille à se défendre si la situation évoluait de manière gênante. Pourquoi se faire du mauvais sang à l'avance, d'autant que Ted était peut-être de bonne foi ?

Ils approchaient. Une hacienda toute blanche, au toit de tuiles roses, se découpait sur le bleu intense du ciel. La propriété, bordée de hauts palmiers, était construite à la limite du désert. Avec ses massifs de rosiers, ses pelouses semées de fleurs multicolores et ses allées de cactus monumentaux, elle évoquait la plus riche et la plus tentante des oasis.

La porte de la maison s'ouvrit à leur arrivée, livrant passage à l'un des plus importants producteurs de cinéma américains.

— Bonjour, Harris, dit Ted. J'espère que tu ne vois aucun inconvénient à ce que j'aie amené une amie ?

— Tu as bien fait, répondit le maître de maison en tendant la main à Sabra qu'il gratifia d'un chaleureux sourire.

— Harris Ashton, présenta Ted, Sabra Reynolds, mon assistante.

— Charmée de vous rencontrer, monsieur Ashton.

— Appelez-moi Harris, je vous en prie. Je suis ravi de vous accueillir mais ne perdons pas de temps ; allons déjeuner tout de suite car je dois filer à Los Angeles.

Harris était une source inépuisable d'anecdotes sur les milieux hollywoodiens. Son impressionnante fortune et son physique avantageux lui permettaient de se sentir à l'aise parmi les plus grandes vedettes du cinéma, particulièrement les femmes qui restent sensibles aux tempes argentées, aux yeux clairs et aux manières raffinées.

Il les conduisit jusqu'à un petit patio où une table était dressée pour deux. Il fit rajouter un couvert puis s'adressant à ses invités :

— Asseyez-vous, dit-il à Sabra. Installe-toi, Ted. J'espère que tu as faim.

— Terriblement, comme toujours.

— C'est votre première visite à Las Vegas, reprit Harris à l'adresse de Sabra, ou bien êtes-vous une habituée ?

— Non, je n'étais jamais venue. Pourtant j'ai beaucoup voyagé avec mon précédent employeur, Franz Lieberten.

— Le violoniste ?

— Lui-même.

— Je n'ai malheureusement jamais eu la chance de le rencontrer mais je suis un de ses fervents admirateurs. La musique de Ted doit être un rude changement pour vous ?

— Naturellement, mais elle me plaît.

— Vous avez bien fait de venir avec Ted. Votre visite me fait très plaisir. Vous ne m'en voudrez pas si nous parlons un peu travail ?

— Bien sûr que non.

— Travail ? répéta Ted. Quel travail ?

Harris mangea et but avant de répondre, comme s'il lui fallait le temps de chercher ses mots.

— Tu sais que nous adaptons pour l'écran le roman de Capton, *Vacancies*?

— Oui, j'ai lu un article dans *Variety*.

— Je voudrais que tu composes la musique de ce film.

Ted s'affaissa sur sa chaise comme s'il venait d'être frappé. Ses couverts lui échappèrent des mains et c'est d'une voix cassante qu'il répondit.

— Je croyais avoir lu que c'était Milt Harrison qui avait reçu la commande.

— En effet, mais ça n'a pas marché. Nous avons rompu son contrat la semaine dernière.

Un pesant silence suivit. Harris jouait la décontraction et la confiance mais Ted ne cachait pas son mécontentement. Les sourcils froncés, il réfléchissait, pesant le pour et le contre.

Sabra, que cette tension gênait épouvantablement, fit mine de s'intéresser à son petit déjeuner sans pouvoir avaler une bouchée.

— Si tu veux, dit enfin Harris, tu prends la relève.

— Il est bien temps ! Voilà trois ans que je te supplie de me donner une affaire de ce genre. Aujourd'hui, si je ne me retenais pas, je t'enverrais au diable.

— Pourtant, tu ne vas pas le faire.

— Non, répondit Ted avec un sourire amer, mais tu n'aurais pas pu trouver pire moment ; je débute juste une grande tournée de concerts.

— Tu es un vieux routier. Tu donnes ton tour de chant sans même t'en apercevoir.

— Sans m'en apercevoir ? Non, mais vous l'entendez, Sabra ? Le voilà qui fait de l'esprit !

Harris était peut-être sincère. Savait-il seulement ce qu'un tour de chant quotidien demandait comme efforts, sans parler de la fatigue du voyage ?

— Ted, je voudrais vraiment que tu nous fasses cette musique, insista Harris. Il nous faut une partition imposante, pleine de passion, exactement ton style !

— Faute de grives, tu es prêt à manger du merle !

— Pas du tout ! Tu es l'homme qu'il nous faut et je l'ai pensé et proposé dès la première minute. A cette époque, mes associés voulaient un compositeur qui ait déjà fait ses preuves. Depuis, ils ont changé d'avis. A toi d'entrer dans la danse et de leur montrer de quoi tu es capable.

— Il n'empêche que tu choisis mal ton moment.

— Tu feras des heures supplémentaires. C'est une occasion en or, il faut la saisir sans hésiter.

— Sans doute.

— Avant que tu ne quittes Las Vegas, je t'emmènerai au studio voir ce que nous avons déjà tourné et je te donnerai le scénario pour que tu commences à réfléchir dessus, d'accord ?

Ted hocha la tête. En son for intérieur, Sabra se demandait comment il pourrait concilier l'itinéraire et le programme de la tournée avec ce surcroît de travail.

— Parfait, reprit Harris ; maintenant, il faut que je file. Je suis navré de quitter une aussi charmante invitée, ajouta-t-il à l'adresse de Sabra. Revenez quand vous voulez, que nous bavardions un peu plus longuement. Surtout ne vous gênez pas, vous êtes ici chez vous. Finissez votre déjeuner et profitez de tout dans la maison. A bientôt, Ted, je te téléphone.

Quelques minutes après son départ, un bruit de moteur troubla le silence. Sabra vit un avion prendre de l'altitude et disparaître au-dessus de leur tête.

— Il fait l'aller et retour en avion tous les jours ? demanda-t-elle avec étonnement.

— Eh oui ! Il a tellement d'argent qu'il peut se permettre d'avoir son avion personnel.

Le visage grave, Ted réfléchissait tout en pianotant nerveusement sur la table.

— Cette commande, hasarda Sabra, c'est la meilleure nouvelle de la semaine ou une franche catastrophe ?

— Je ne sais pas. Depuis le début de ma carrière, j'attends une telle chance et maintenant qu'elle se présente je ne peux même pas m'en réjouir à cause de cette damnée tournée. Je voudrais pouvoir prendre mon temps, rêver, créer en toute sérénité. C'est impossible en montant sur une scène différente tous les soirs. Je n'ai jamais eu envie d'être chanteur, je me suis laissé entraîner, il faut bien que je continue.

— Vous n'avez jamais eu envie d'être chanteur ?

— Sûrement pas. Composer, c'était tout ce que je souhaitais. Comme personne ne voulait chanter mes chansons, je me suis lancé et, dès que j'ai eu des succès, il n'a plus été question d'abandonner. Ce métier ! Il vous dévore littéralement !

— Vous êtes un si bon chanteur !

— Moi ? Non, je suis un bon vendeur de chansons. Ella Fitzgerald est une grande chanteuse. Moi c'est autre chose, tout à fait autre chose !

— Peut-être, mais quand les autres interprètent vos mélodies c'est à peine si on les reconnaît.

— Je croirais entendre mon imprésario. C'est exactement ce qu'il me répète depuis des années ; vous comprenez pourquoi je ne peux plus laisser tomber.

— Vous n'aimez pas la scène ?

— C'est étrange ; j'aime la musique et les applaudissements me grisent ; pourtant, je vais au supplice chaque jour en montant sur le plateau.

— Le trac ?

— Pas seulement. On doit tant donner au public !

Après chaque représentation, je suis totalement vidé. Il me prend toute mon énergie. Parfois je me demande si le jeu en vaut la chandelle.

Il paraissait si désolé que Sabra mourait d'envie d'effacer d'une caresse les rides qui lui barraient le front.

Brusquement, Ted bondit sur ses pieds et, retrouvant sa bonne humeur, il déclara :

— Trêve de discours ! Vous êtes une parfaite confidente, sage et attentive, mais je suis venu ici pour oublier pendant quelques heures mes tracas professionnels. Un plongeon me fera le plus grand bien. Qu'en pensez-vous ? Vous m'accompagnez ?

— Je n'ai pas de maillot.

— Qu'à cela ne tienne ! Dans cette petite cahute, là-bas, vous trouverez la plus extravagante collection de costumes de bain que vous ayez jamais vue. Servez-vous.

— Vraiment ?

— Oui. Harris est très prévoyant en matière d'éventuelles visites féminines.

— Il est marié ?

— Je ne sais pas. Je ne crois pas. J'ai beaucoup de mal à suivre les péripéties de sa vie privée. Il se marie et divorce si souvent ! Allez vous changer. J'en fais autant dans la maison.

Ted n'avait pas exagéré. Il y avait là tout ce dont pouvait rêver la nageuse la plus exigeante.

Sabra se choisit un maillot une pièce d'un jaune presque doré. En s'examinant devant la glace, elle se rendit compte qu'il était incroyablement décolleté, découvrant le dos jusqu'aux reins, et échancré sur les hanches.

Oserait-elle ? Elle ressemblait à la photo d'un magazine. Après tout, elle n'était pas si mal !

Quand elle sortit du vestiaire, Ted était déjà dans l'eau. Elle le regarda un moment avancer, disparaître et refaire surface, puis elle se dirigea résolument vers le plongeoir. Elle grimpa sur la plus haute plate-forme, en éprouva la souplesse, prit son élan et effectua un superbe plongeon, presque sans éclaboussures.

Ted était près d'elle quand elle remonta à l'air libre.

— Quelle championne ! Puis-je avoir un autographe ?

Riant de plaisir, elle l'aspergea d'abondance ; ils chahutèrent comme des enfants pendant quelques minutes. A la fin, hors d'haleine, elle se déclara vaincue, et, faisant la planche, elle s'offrit avec délices aux rayons du soleil matinal.

Un serviteur lui apporta un matelas pneumatique. C'était encore mieux, paradisiaque, pour tout dire.

Confortablement allongée, elle ferma les yeux et son esprit se mit à vagabonder : Ted était près d'elle et lui tendait les bras. Elle s'y jetait mais malheureusement une foule malvenue les séparait et elle se retrouvait enlacée avec Harris Ashton ! « Désolé, lui disait-il, en se penchant pour l'embrasser. Il leur appartient, il est à eux, pas à vous. Vous ne pouvez pas l'avoir... pas l'avoir... »

Elle chassa cette pénible vision et rouvrit les yeux au moment où Ted sortait de la piscine.

— Je vais dans le bassin d'eau chaude. Vous venez ? Si vous restez là, vous attraperez un coup de soleil avant d'avoir fait ouf.

Il avait raison, sa peau était déjà brûlante, il fallait quitter d'urgence le divin matelas.

Il lui tendit la main et la hissa hors de l'eau sans le moindre effort.

— Vous ne me croyiez pas si fort, plaisanta-t-il. Je cache bien mon jeu, non ?

Rougissante, elle le suivit jusqu'au bassin.

— J'avais entendu parler de ces bains d'eau

chaude bouillonnante, dit-elle, mais je n'en avais jamais vu et encore moins essayé.

— N'hésitez pas, c'est un rare plaisir !

— En effet, répondit-elle en se plongeant à son tour dans le bain frémissant, l'impression est très surprenante.

— On dirait que des centaines de doigts vous massent. Moi, je pourrais y passer ma vie ! ajouta Ted en s'adossant à la paroi, les yeux fermés.

Sabra l'imita mais après un moment de parfaite détente elle repensa à la discussion entre Harris et Ted.

— Je vous ennuie si je vous reparle travail ? demanda-t-elle.

— Un peu mais si c'est nécessaire...

— Je n'ai pas lu *Vacancies*. Quel en est le sujet ?

— C'est l'histoire d'un homme, propriétaire d'un hôtel près des chutes du Niagara où ne vont que les couples en voyage de noces. Il passa sa vie entouré d'amoureux alors que lui-même n'a jamais aimé. Il a près de quarante ans et il commence à réfléchir à sa solitude, à sa vie qui passe. Pourquoi ne peut-il s'intéresser durablement à une femme ni même se rapprocher de quelqu'un ? C'est drôle, triste, ironique ; je pourrais facilement m'identifier au personnage.

— Pourquoi ? Vous n'avez jamais aimé ?

— Non, jamais.

— Et Linda ?

Sabra retint son souffle. D'instinct, elle sentait que Ted n'aimait pas parler de ses relations avec son ancienne femme. Elle avait l'impression de s'être lancée un peu à l'aveuglette sur un terrain dangereux.

— Linda ? C'était une amie, elle est toujours mon amie, d'ailleurs. Je n'ai pas éprouvé de véritable amour pour elle.

— Quand vous étiez adolescent, n'aviez-vous pas de coups de cœur ?

— A cette époque, je tombais amoureux tous les jours ou presque. On ne peut pas prendre ces folies au sérieux. Je parlais de l'amour qui dure et qui compte dans la vie.

— Je comprends.

— Oh ! Vraiment ? Vous non plus n'avez jamais été réellement amoureuse ?

— Non. J'ai eu des toquades d'adolescente, quelques aventures mémorables par la suite et j'en suis toujours à guetter le grand amour. Dans nos métiers c'est difficile de construire quelque chose de durable, nous sommes toujours par monts et par vaux.

— Evidemment. Linda prétend que je n'aime que la musique et que les femmes ne sont que des passades pour moi.

— Et... vous êtes d'accord avec elle ?

— Elle n'a peut-être pas tout à fait tort et vous non plus. L'amour a besoin de temps pour s'épanouir. Ce qui ne m'empêche pas d'attendre le moment où je croiserai un regard qui fera basculer mon cœur et mon âme.

Rêveur, il contempla longuement le ciel puis abaissa le regard vers Sabra.

— Dans cette lumière, dit-il, vos cheveux sont presque roux.

— Ah oui ?

— Vos yeux ont des reflets d'or.

— On dirait les paroles d'une chanson, répondit-elle avec un petit rire gêné.

— J'inventerais le texte et vous seriez la mélodie.

Inexplicablement, la panique s'empara de Sabra et elle tenta d'échapper aux yeux vert d'eau qui la fixaient.

Il fallait changer de conversation.

— Je n'aurais pas dû reparler du travail.

— Ce n'est pas vraiment désagréable.

Le souffle lui manqua quand elle le vit s'approcher d'elle.

Comme si c'était la chose la plus naturelle du monde, il lui posa les mains sur les hanches et se pencha jusqu'à effleurer ses lèvres.

— Ted, murmura-t-elle la gorge nouée, vous allez commettre une impardonnable erreur.

— Probablement, mais vous me la pardonnerez, n'est-ce pas ?

Il était si près que son esprit s'embrouilla et, à sa grande surprise, elle s'entendit répondre :

— Oui, je vous pardonne.

Il s'approcha encore un peu et leurs lèvres se joignirent, lui ôtant toute possibilité de faire machine arrière. Plus les minutes passaient, plus Ted s'enflammait et se montrait audacieux, plus Sabra perdait la tête, frémissant et gémissant sous ses baisers et ses caresses.

Enivrée, dans une sorte de brouillard, elle l'entendit murmurer :

— Allons dans la maison, Sabra.

Elle se laissa sortir du bassin sans résistance. Quand il la prit par la taille et l'entraîna vers la maison, brusquement elle se raidit.

Secouant désespérément la tête, elle s'arracha à son étreinte et lui fit face.

— Quelque chose ne va pas ?

— Tout ! Non, ce n'est pas ce que je veux dire, c'est que vous allez trop vite, nous devrions réfléchir, ce pourrait être une grave erreur...

— Ou une très belle réussite.

— Peut-être, mais j'ai besoin de temps. Je ne prends pas ce genre de choses à la légère.

— Moi non plus. Croyez-vous que j'agis sur un coup de tête ?

— Non, pas du tout. Laissez-moi, j'ai besoin de recul. Vous me troublez tant que je ne sais plus où j'en suis.

— Et vous, vous êtes la créature la plus fascinante que j'aie jamais vue !

Le compliment la fit rougir et baisser les yeux.

— Je vais me rhabiller et après j'aimerais bien rentrer à l'hôtel.

— Pour être en sécurité ?

Elle hocha la tête et s'obligea à le regarder en face.

— J'ai très envie de vous, mais pas maintenant, vous me comprenez ?

Résigné, il haussa les épaules et l'embrassa sur le bout du nez.

— Allez-y, je vous retrouve près de la voiture.

La mort dans l'âme et les jambes encore tremblantes, elle s'éloigna.

Durant le trajet de retour, elle le remercia mentalement d'avoir la bonne grâce de lui faire amicalement la conversation comme si rien ne s'était passé.

Elle l'écoutait et lui répondait tout en repensant à ses baisers, au goût de ses lèvres, à la délicatesse enivrante de ses caresses.

Eprouvait-il les mêmes sensations derrière son calme apparent ?

La flamme qui brillait encore dans le regard posé sur elle mit un terme à ses doutes.

Chapitre 3

LE TRIOMPHE DE TED FUT TEL À LAS VEGAS QUE, QUATRE jours avant la dernière, la direction du théâtre le supplia de rester une semaine de plus. Il refusa catégoriquement.

On lui proposa alors trois semaines de concerts à la fin de sa tournée sans beaucoup plus de succès.

Non seulement Ted n'avait ni le temps ni l'envie de donner plus de représentations que prévu, mais en outre cette requête avait été présentée au pire moment.

Depuis la journée chez Harris Ashton, Ted était d'une humeur massacrante. Tout le monde interrogeait Sabra sur les causes de cette mauvaise humeur. Elle l'ignorait car il ne lui adressait guère la parole ; c'est à peine si elle le voyait.

Tous les matins de bonne heure, il s'envolait pour Los Angeles voir les prises de *Vacancies* et il ne revenait que quelques heures avant d'entrer en scène.

Chaque soir, Sabra le regardait avec admiration se préparer à monter sur le plateau ; malgré sa fatigue ou sa mauvaise humeur, il se concentrait un moment en coulisses, faisait deux ou trois exercices pour se chauffer, prenait une profonde inspiration et, courageusement, entrait en scène sous les hourras frénétiques de la foule, dès les premières notes de l'orchestre.

Ses admirateurs n'avaient certainement aucune idée des efforts qu'il faisait pour les satisfaire.

Le comportement de Ted devenait de plus en plus distant et réservé au fil des jours et Sabra se félicitait de n'avoir pas cédé à ses avances, ce fameux matin, chez Harris.

Cette flambée de désir chez Ted avait laissé des traces profondes dans le cœur de Sabra. Elle n'avait cessé de penser à lui, de rêver de lui, de revivre chacune des minutes passées dans ce bassin ! Amèrement, elle se louait d'avoir agi avec sagesse. Elle affermissait son courage en se disant qu'elle était la seule à éprouver le moindre sentiment.

Le soir de la dernière à Las Vegas, Ted arriva, comme chaque soir, les sourcils froncés, l'air maussade, et s'enferma aussitôt dans sa loge sans répondre au bonsoir de ses collaborateurs.

A peine avait-il franchi la porte qu'il hurlait :
— Sabra, venez ici !

Inquiète, elle obtempéra.
— Je n'ai pas mon citron chaud au miel !
— Je pensais, je croyais, bredouilla l'habilleuse, terrorisée.
— Vous n'êtes pas là pour penser, cria Ted de plus belle, mais pour veiller à ce que tout soit prêt quand j'arrive. Quant à vous, ajouta-t-il en se tournant vers Sabra, je vous paie pour vérifier que rien n'a été oublié.
— Calmez-vous et cessez de hurler comme un possédé, répondit tranquillement Sabra. Ce n'est pas une erreur dramatique.

42

— Pas dramatique ? J'ai la gorge sèche comme si j'avais passé trois jours dans le désert.

Sans se démonter, Sabra sortit de son sac un petit pot de miel et un citron.

— Qu'est-ce que c'est ? demanda-t-il, brusquement radouci.

L'ignorant délibérément, Sabra s'adressa à l'habilleuse :

— Soyez gentille de faire chauffer de l'eau, madame Bennet. Nous allons donner à notre vedette sa potion magique, avant qu'il ne sombre dans la dépression.

Soulagée, la pauvre femme ne se le fit pas dire deux fois.

— Soyez raisonnable Ted, poursuivit Sabra, si vous ne criiez pas tant, vous auriez moins mal à la gorge.

Il se laissa tomber sur la chaise devant sa table de maquillage et ferma les yeux en soupirant.

— Je ne sais pas ce que j'ai, dit-il, navré. Je suis désolé, Sabra. Madame Bennet, pardonnez-moi.

Touchée par cette soudaine humilité, Sabra lui massa la nuque et les épaules.

— Respirez profondément, lui conseilla-t-elle, détendez-vous et dans deux minutes vous vous sentirez mieux.

Sagement, il obéit.

Quand elle le sentit un peu moins crispé, elle lui donna sa boisson miracle.

— Vous avez besoin d'autre chose ? demanda-t-elle.

— Non, je vous remercie.

Discrètement elle quitta la loge, pour se trouver aussitôt nez à nez avec George McCormick, propriétaire de l'hôtel mais aussi du théâtre.

— Chère amie, commença-t-il, vous ne pourriez pas le pousser à signer pour trois autres semaines à la fin de sa tournée ?

— Pas maintenant, monsieur McCormick, mais je vous promets d'essayer, encore que ce ne soit nullement mon affaire ; vous devriez plutôt vous adresser à son agent.

— Je sais, mais vous semblez si proches et en si bons termes.

— Proches ? Je suis simplement son employée et il est mon patron. Son imprésario a plus de poids que moi. Enfin ! Je lui en toucherai deux mots.

— Vous êtes un ange. Merci.

Elle le salua et rejoignit sa place habituelle, à l'entrée du plateau. Avant même de se retourner, elle sentit la présence de Ted qui descendait vers la scène incroyablement tendu et concentré comme avant chaque spectacle.

Sabra ne pouvait nier son incroyable attirance pour lui. Il était si beau, si séduisant, surtout dans ce pantalon de smoking, avec cette chemise de soie blanche aux manches retroussées !

Dans trois minutes il serait tout à son public mais, pour l'instant, ses mains tremblaient légèrement.

Il lui prit le poignet sans la regarder et serra fort, très fort comme pour en tirer l'énergie dont il avait besoin. Emue, Sabra leva les yeux sur lui. Tel un conquérant, il fit son entrée en scène.

Sabra se mordit les lèvres. Les applaudissements l'assourdissaient. Enfin, Ted retrouvait son sourire ! Il prit sa guitare et de sa voix grave entonna sa première mélodie, ramenant le silence dans la salle.

— Quelle présence et quel talent ! murmura un machiniste derrière Sabra.

— Oh oui ! murmura-t-elle.

Mentalement elle ajouta : il n'aime peut-être pas ce métier, mais il le fait rudement bien !

Après le spectacle, Sabra se dirigea vers la chambre de Ted, nettement inquiète.

Il était sorti de scène en se tenant le dos et il avait refusé de retourner saluer pour recevoir les remerciements enthousiastes de son public. Ce n'était pas son genre ! Aussitôt, il avait convoqué un médecin.

Sabra le croisa dans le corridor.

— Comment va-t-il ?

— Il veut vous voir. Ne restez pas trop longtemps. Il est tard et il a besoin de repos.

— Entendu.

Elle frappa discrètement et resta clouée sur le pas de la porte.

Il était debout, souriant d'un air moqueur et se préparait à servir deux verres de cocktail.

— Le médecin vous autorise l'alcool ? s'étonna Sabra en franchissant enfin la porte. Il vous a donné des médicaments ? Fait une piqûre ?

— Vous aimez le Martini ?

— Non, pas vraiment.

— Moi non plus. Mais, comme le docteur en voulait, j'en ai préparé. Prenons plutôt un peu de vin. J'aime le vin parce qu'il se bonifie en vieillissant comme les gens.

— Ted, je vous en prie ! Ne buvez pas maintenant. Vous êtes sous calmant ?

Sans répondre, il emplit deux verres.

— Venez vous asseoir près de moi, Sabra.

Il lui donna son vin et l'entraîna jusqu'au lit.

— Nous allons conspirer un peu, tous les deux.

Sabra ne cachait pas son inquiétude.

— Que se passe-t-il ? Nick m'a dit que vous vous étiez fait mal au dos, en scène.

— Oui, j'ai une vieille blessure de guerre qui me tourmente parfois.

— Le Viêt-nam ?

— Non, Central Park. Un combat sans merci autour d'un ballon ovale. Ce soir, je n'ai pas mal, rassurez-vous.

— Mais alors de quoi souffrez-vous ?

— De manque de rêve. La vie que je mène est infernale, je n'ai plus le temps de rêver. Je veux que vous m'aidiez avant qu'il ne soit trop tard.

— Expliquez-vous un peu plus clairement, j'ai peur que vous n'ayez perdu la raison !

— D'accord. Je voudrais que vous soyez la seule, en dehors du médecin, dans la confidence : je n'ai mal nulle part, je ne me suis pas blessé.

— Mais le docteur m'a dit...

— Je sais ce qu'il vous a raconté. C'est un vieil ami et je l'ai convaincu de se faire mon complice. Je ne peux pas continuer cette tournée, Sabra. La seule manière de m'en dégager c'est d'être victime d'un coup du sort. Une vieille blessure qui resurgit, un lumbago insupportable, c'est un coup du sort.

— C'est un énorme mensonge ! Vous voulez annuler votre tournée ? Ce n'est pas possible, voyons !

— Pourtant, c'est exactement ce que je vais faire ! Pas annuler mais repousser. Le médecin va me fournir un certificat affirmant que j'ai besoin d'au moins six à huit semaines de repos. Je reprendrai mes concerts dans deux mois et d'ici là j'aurai eu le temps d'écrire la musique de *Vacancies*.

— C'est une décision irrévocable, je suppose ?

— Absolument. J'y ai beaucoup réfléchi ces jours derniers. Je ne peux pas voyager, chanter et composer. J'ai besoin de calme pour réussir ; il faut que ma partition soit excellente, sans la moindre faiblesse, il y va de mon avenir. Dans les conditions actuelles, je ne ferais que du mauvais travail.

— Si vous êtes décidé, je n'ai plus rien à dire. Que suis-je supposée faire dans vos projets ?

— Vous entrez dans le jeu ?

— Vous êtes le patron, n'est-ce pas ?

— Je voudrais surtout être votre ami, Sabra.

— Je déteste le mensonge. La vérité me semble toujours de meilleure politique.

— Moi aussi habituellement. Cette fois c'est

impossible. Oubliez vos principes et soyez mon amie.

— Si j'en crois les maximes de mon père, les mensonges risquent souvent de devenir des vérités.

— Ne me souhaitez pas d'être malade pour de bon. Je n'ai pas besoin de ça en ce moment. Je vais aller à Malibu où j'ai une maison sur une plage privée. C'est tranquille et personne ne viendra m'y déranger. Je voudrais que vous preniez contact avec mon agent pour qu'il réorganise la tournée. Surtout qu'il n'accepte aucune condition inférieure à celles initialement prévues. Nos chers directeurs de théâtre vont essayer de profiter de ma défaillance, or je ne veux pas en entendre parler. A prendre ou à laisser !

— Donc je retourne à New York ?

— Non. Vous venez à Malibu avec moi. La côte Pacifique vous plaira.

— Vous avez donc une seconde maison pour moi ?

— Non, mais il y a deux chambres, si cela peut vous rassurer.

— Je ne sais pas ce que je veux, Ted.

— Je vous comprends. Je ne tiens pas à vous bousculer. Là-bas, nous aurons du temps, nous apprendrons à nous connaître, nous saurons si nous restons seulement amis ou si nous allons plus loin. C'est le seul moyen de savoir la vérité sur nos sentiments.

— C'est une expérience à tenter. Que se passera-t-il si elle échoue ?

— Vous ferez vos valises et vous partirez.

— Dans la foulée, je perdrai mon emploi.

— Sûrement pas ! Je ne vois pas pourquoi.

— Voyons, Ted ! Je n'ai pas attendu d'avoir vingt-neuf ans pour savoir qu'en allant plus loin, comme vous dites, je m'engage totalement et je mets mon emploi en jeu.

— Moi j'ai trente-cinq ans et je me connais, je suis incapable d'injustice. Quoi qu'il puisse se passer, je resterai votre ami et je vous garderai comme assistante. Si vous démissionnez, ce sera de votre propre chef. Jamais je ne vous renverrai car je ne vous veux aucun mal. Ni maintenant ni plus tard.

— En théorie, c'est séduisant.

— Pas seulement en théorie. J'ai vraiment deux chambres. L'une sera pour vous aussi longtemps que vous le souhaiterez.

— Combien de temps resterai-je sourde à vos manœuvres de séduction si je suis à Malibu ? Vous avez une idée ?

— Je ne me hasarde jamais à faire des prédictions.

Ils échangèrent un long et silencieux regard. Devant ces yeux vert clair posés sur elle, Sabra ne pouvait que faiblir.

— Donnez-moi la nuit pour réfléchir, dit-elle d'une petite voix hésitante.

— Bien sûr ! J'attendrai votre réponse avec impatience.

— De toute façon, je ne trahirai pas votre secret. Votre machination ne me déplaît pas au fond. Je commençais à me faire du souci. Je ne voyais pas comment vous pouviez faire cette tournée et composer la musique du film. Je crois que vous avez pris une sage décision.

— J'espère que vous en ferez autant.

— Ayez confiance.

Elle voulut se lever pour partir mais Ted la retint et se rapprocha dangereusement.

— Non, dit-elle. Je voudrais réfléchir en toute liberté d'esprit.

— Comme vous voudrez.

Sur le seuil, elle se retourna, le sourire aux lèvres.

— Dormez bien, vous en avez besoin. Il n'y a que le repos pour les douleurs que vous avez.

— Plus de jogging ? dit-il en riant.

— Absolument interdit ! Bonne nuit.

— Bonne nuit à vous.

En regagnant sa chambre, elle tremblait d'excitation. Il y avait tout à parier qu'elle ne fermerait pas l'œil de la nuit. Vraisemblablement, dès le lever du soleil, elle serait déjà en train de faire sa valise pour Malibu. Il le savait pertinemment, ce diable de Ted !

La maison, construite sur pilotis, dominait l'océan dont les vagues venaient se briser à ses pieds par gros temps.

L'aménagement et l'ameublement intérieurs étaient réduits à leur plus simple expression sauf dans la salle de musique où trônait un piano de concert. L'équipement d'enregistrement et d'écoute le plus sophistiqué encombrait presque toute la pièce aux murs de liège et au sol moquetté. Sur des rayonnages, s'empilaient des disques, des cassettes et des boîtes de bandes magnétiques côtoyant des livres et d'innombrables partitions.

Assise dans la cuisine devant sa troisième tasse de café, Sabra réfléchissait à la semaine qu'elle avait déjà passée là, seule, avec Ted.

Quelques rares moments de vrai bonheur avaient égayé la grisaille qui régnait dans son cœur et dans sa tête. Ted était incroyablement discret, tellement discret qu'il semblait parfois l'oublier.

A peine avait-il sourcillé quand elle avait mis sa valise dans la chambre d'ami, comme si cela lui était indifférent.

Avant de partager la sienne, elle voulait de toutes ses forces qu'il lui déclare son amour. Apparemment il n'en était pas question. Qu'attendait-il ? Qu'elle fasse le premier pas ?

La veille, elle avait bien failli.

Ted était d'humeur particulièrement joyeuse ; ils s'étaient longuement promenés sur la plage, ils

49

avaient construit un château de sable et dessiné un cœur avec leurs deux noms dedans. Le soir, ils avaient soupé aux chandelles.

Elle lui avait préparé des framboises à la crème, son dessert préféré qu'ils avaient mangé l'un contre l'autre, presque enlacés. Il l'avait embrassée sur le menton où une petite goutte de crème s'était posée.

Elle était prête à succomber lorsque le téléphone avait sonné. C'était Barney, l'imprésario. Leur conversation avait duré près d'une heure et, lorsque Ted avait raccroché, l'air soucieux, il avait oublié Sabra et les framboises.

Après un vague bonsoir, il était allé se coucher. Désolée, la jeune femme avait voué à l'enfer Barney et tous ceux qui approchaient Ted.

Tristement, elle finit son café.

L'air se chargeait d'électricité entre eux. Certainement, Ted s'était juré de ne faire aucune déclaration. A elle de décider si elle continuerait ce petit jeu ou si elle renoncerait.

Elle en était là de ses réflexions lorsqu'il apparut, les bras chargés de boîtes de musique. Il lui fit un clin d'œil et alla se débarrasser de son fardeau.

— Vous ne devriez pas porter des paquets aussi lourds, plaisanta-t-elle, vous allez vous faire mal au dos !

— Très drôle ! Vous êtes bien matinale.

— Toujours, vous le savez bien.

— C'est vrai. J'avais oublié.

Il la prit par la main, et l'entraîna jusqu'à la fenêtre.

— Quelle vue magnifique ! murmura-t-il.

Il vint se placer derrière elle et posa ses bras autour de ses épaules.

— Superbe, en effet... Combien de femmes ont vécu ici avant moi ?

50

La question lui avait échappé, elle en était toute surprise. Ted fit un pas en arrière.

— Sabra ! Epargnez-moi cette stupide jalousie. Aucune femme n'est jamais venue ici. Vous êtes la première.

— Merci. Je me sens mieux.

— Je vous retourne la question : avez-vous déjà accepté une telle invitation ?

— Vous croyez vraiment qu'il est nécessaire de me le demander ?

— Non, je connais la réponse. Oserais-je avouer que je suis très flatté ?

— Vous pouvez. C'est tout à fait contraire à mes principes et c'est pourquoi je ne cesse de me faire des reproches.

— Vos principes ?

— Absolument. Je m'étais juré de ne jamais vivre avec un homme sauf si je me sentais assez sûre de lui et de moi pour l'épouser.

Devant son expression butée, elle regretta presque ses mots.

— Pour accepter la situation présente, vous devez vraiment lutter contre vous-même ?

— Oui, c'est un dilemme très pénible pour moi.

— Ne vous rendez pas malade ; attendez que tout vienne naturellement. Profitez du calme et de la mer. Moi, j'ai ma musique à écrire. Nous saurons tous les deux quand le moment sera venu.

Langoureusement, elle se frotta la joue contre sa chemise de coton et soupira.

— Pourquoi êtes-vous si patient ?

— Parce que vous en valez la peine. Maintenant, il faut que je file à Los Angeles. Je suis déjà en retard.

Un petit baiser sur les lèvres et il s'éloigna lentement, comme à regret.

— Je prépare à dîner ? ajouta-t-elle.

51

— Si vous en avez envie, sinon nous commanderons le nécessaire. A tout à l'heure.

Elle le regarda s'en aller au volant de sa Porsche gris métallisé.

Il est très fort, songeait-elle. Il me laisse la décision mais il sait que je finirai par faire exactement ce qu'il souhaite.

Plusieurs fois dans la journée, elle entreprit de déménager ses affaires dans la chambre de Ted ; chaque fois, elle remit tout en place, chez elle.

Elle ne pouvait pas faire le premier pas. Si elle s'engageait, pourquoi pas lui ? Ce n'était pas juste ! Pourquoi restait-il seulement spectateur ? Etait-il patient ou refusait-il de se compromettre ?

Pour le dîner, elle prépara une omelette qu'elle mangea seule à neuf heures et dont elle jeta les restes.

Elle luttait pied à pied contre la colère qui montait lorsqu'elle entendit arriver la voiture.

Précipitamment, elle alla au salon et s'installa sur le canapé avec un magazine, comme si elle n'était pas impatiente de le revoir.

— Désolé d'être en retard, dit-il en entrant.

— J'avais fait à manger mais j'ai donné votre part aux chiens errants. Vous auriez pu téléphoner.

— Je n'ai pas l'habitude de rendre compte de mes faits et gestes à mes amis.

Voilà toute l'importance que j'ai à ses yeux, se dit-elle, la gorge serrée.

— Vous n'êtes pas très aimable.

— C'est vrai. Je n'aurais pas dû vous parler ainsi. Je suis fatigué et...

— Alors, allez dormir, c'est le mieux que vous puissiez faire. Bonsoir, Ted.

Elle allait vers sa chambre quand il la rappela.

— Sabra ? Où allez-vous ?

— Je vais me coucher. Bonne nuit.

— Revenez. Je voudrais vous parler.

— Demain.

Elle claqua sa porte et s'écroula sur son lit, guettant ses pas. Viendra, viendra pas ?

Quand elle l'entendit s'enfermer chez lui, il lui fallut beaucoup de courage et de force pour ne pas courir le rejoindre.

Finalement, la colère l'emporta. Elle se dit qu'il était mal élevé et qu'elle devait le faire souffrir pour le punir de sa dureté.

Les larmes ruisselaient sur ses joues mais elle tint bon. Bien sûr, elle voulait Ted mais elle voulait surtout qu'il l'aime. Etait-ce trop demander, ou trop tôt ? Elle ne voulait surtout pas risquer de le perdre par une maladresse.

La nuit était largement avancée lorsque enfin elle s'endormit.

Chapitre 4

LES ÉCHOS DU PIANO RÉVEILLÈRENT SABRA AU PETIT matin.

Elle se souvenait de s'être endormie tout habillée, en travers de son lit. Qui l'avait couverte durant la nuit ?

Ted, bien sûr. Elle se rappelait vaguement une main délicate la faisant pivoter dans le bon sens et lui glissant une couverture sous le menton.

La situation décidément devenait absurde. Il était vraiment temps qu'ils oublient tous les deux leur orgueil et se décident soit à vivre réellement ensemble, soit à se séparer.

Elle se leva d'un bond, se brossa les cheveux mais ne prit pas le temps de remettre de l'ordre dans sa tenue. Il fallait qu'elle le voie, qu'elle lui parle ! Tout de suite.

Il était dans la salle de musique, penché sur ses partitions qu'il couvrait de notes avant de les jouer. Une barbe de vingt-quatre heures lui bleuissait le bas du visage ; il avait les yeux rougis par l'insomnie et une ride profonde lui barrait le front.

— Ted ?

— Que voulez-vous ?

— Je crois que nous devrions avoir une conversation sérieuse.

— Pas maintenant.

Un instant, il l'avait regardée sans douceur et s'était replongé dans ses feuilles de musique.

— Si, tout de suite.

— Sûrement pas. Vous ne voyez pas que je travaille ? Je compose, je n'ai pas le temps. Je vous verrai plus tard.

Tremblante de colère, elle resta sur le seuil, le fusillant du regard.

Enfin elle se ressaisit et retourna dans sa chambre. D'un geste rageur, elle enleva ses vêtements qu'elle jeta à droite et à gauche puis elle se précipita sous la douche. Même l'eau chaude ne parvint pas à la calmer.

Il ne l'avait pas écoutée ! Il l'avait chassée ! Comment supporter pareille insulte ?

Nerveuse, elle retraversa le hall, se gardant bien de s'approcher de la salle de musique dont la porte avait été soigneusement refermée, ouvrit une des baies donnant sur l'océan et descendit sur la plage.

Deux ou trois coups de pied dans le sable et le vent du large la calmèrent quelque peu.

Il y avait maldonne. Elle comprenait enfin que Ted n'envisageait rien de sérieux avec elle. Il l'avait choisie comme un passe-temps dont il entendait user quand il serait fatigué de sa chère musique ! Quel égoïste ! Pour qui se prenait-il donc ?

Elle marchait sans regarder où elle allait lorsqu'une voix l'arrêta.

— Bonjour !

Stupéfaite, elle releva la tête et reconnut Linda, vêtue d'une tunique de tissu éponge, les cheveux au vent.

— Linda ! s'exclama-t-elle. Que faites-vous ici ?

— J'habite à deux pas, la petite maison là-bas. Vous voyez ? Apparemment Ted ne vous a pas prévenue.

— Oui, oui. Je veux dire, il ne m'a pas expliqué.

Pourquoi bafouiller ainsi ? Elle n'avait pas douze ans et elle ne venait pas d'être prise en faute par son professeur !

— Vous habitez chez lui ?

La question prit Sabra au dépourvu.

— Je, je suis là pour la journée, bredouilla-t-elle de plus belle.

Ce n'était tout de même pas déshonorant de vivre sous le même toit que Ted. Honteuse de son mensonge, elle rectifia :

— Oui, je suis chez lui.

— Je m'en doutais. Ce n'est pas facile, n'est-ce pas ? Je veux dire, de vivre avec lui ?

De plus en plus gênée, Sabra joua du bout du pied avec le sable et, ne trouvant pas de réponse appropriée, regarda Linda en haussant les épaules.

— Je ne suis pas votre ennemie, reprit Linda en riant. J'espère, au contraire, que nous pourrons devenir amies. Après tout, nous avons quelque chose en commun, maintenant.

— Ah oui ?

— Je me suis mal exprimée. Nous avons toutes les deux des liens avec Ted et toutes les deux nous voulons qu'il soit heureux. Je me trompe ?

— Non, sans doute pas.

Sabra éprouvait quelque difficulté à parler ainsi avec l'ancienne femme de Ted qui se comportait comme si elles étaient deux vieilles camarades de classe.

— Vous vous promeniez ? Je vous accompagne.

Elles firent quelques pas. Seul le cri des mouettes et le roulis de l'océan trouaient le silence. Après un profond soupir, Linda reprit :

— Je suis une femme heureuse maintenant. Allan

est tout ce que je cherchais chez un homme rassurant, chaleureux, stable, tendre, plein d'attentions, amoureux. Dieu seul sait pourquoi j'ai épousé Ted. J'avais pourtant vécu un an avec lui, avant notre mariage ; j'aurais dû savoir qu'il ne pouvait pas me donner ce dont j'avais besoin.

Sabra regarda sa compagne du coin de l'œil ; elle avait le regard perdu au loin et semblait rêveuse.

— Voulez-vous dire que Ted n'a pas les qualités que vous évoquiez ?

— Absolument pas. Il pourrait être parfait avec une femme faite pour lui. Je n'étais pas cette femme. Depuis, j'ai beaucoup changé. C'est banal à dire mais pourtant bien vrai : je me sens beaucoup mieux aujourd'hui, plus calme, plus simple. Voyez-vous, j'ai besoin de beaucoup d'assurance. Je suis perdue si je ne suis pas ce qui compte le plus dans la vie d'un homme. Avec Ted, je n'ai jamais eu cette impression. Nous avions une épée de Damoclès au-dessus de nos têtes. Entre nous tout pouvait s'effondrer d'un jour à l'autre. Bizarrement, quand c'est arrivé, j'en ai presque ressenti un soulagement.

— Je suis contente pour vous que vous ayez trouvé l'homme qu'il vous fallait.

Sabra n'était pas très fière de son commentaire ; elle ne trouvait rien à répondre aux confidences de sa compagne.

— Ne croyez pas que je tienne Ted pour seul responsable de notre échec. Il a fait des efforts, d'incroyables efforts sans résultat car sa musique était toujours entre nous. Ce ne sont pas les autres femmes qui menaçaient notre bonheur mais sa musique.

— Pensez-vous que quelqu'un comptera autant pour lui que la musique ?

— Jusqu'à notre séparation, je n'y croyais pas. Il faut bien trouver une explication à une rupture. Aujourd'hui, je suis moins catégorique, il s'est adouci, il a changé. Peut-être, après tout, qu'il cherche depuis toujours celle qui le tiendra en haleine et pour laquelle il oubliera la musique, de temps à autre. Peut-être est-ce vous ?

— Il est un peu tôt pour le savoir.

— Quoi qu'il arrive, vous resterez toujours amis. C'est une des grandes vertus de Ted. Il n'oublie pas les gens auxquels il s'attache. Nous sommes restés en très bons termes.

— D'après Suzanne, vous n'avez jamais été autre chose qu'une paire d'amis.

— Elle a probablement raison. Que fait-il en ce moment ? Il travaille ?

Sabra était à nouveau très embarrassée. Elle se demandait si Linda était au courant du prétendu accident de Ted. Aussi chercha-t-elle ses mots.

— Oui. Mais il...

— Ne vous fatiguez pas, je sais à quoi m'en tenir. Il n'a pas plus mal au dos que nous. Avec Allan et moi, il ne pouvait pas jouer la comédie. Alors il nous a mis dans la confidence.

Elles firent demi-tour et repartirent en direction de chez Linda.

— Pensez-vous que nous puissions devenir amies, Sabra ?

— Sûrement. C'est presque déjà fait.

Sabra accompagna d'un sourire sa déclaration, au reste parfaitement sincère.

— Tant mieux. D'après vous, serait-il possible de l'arracher à son piano un soir pour que vous veniez dîner à la maison ?

— J'espère. Ce serait avec grand plaisir.

— Téléphonez-moi pour me dire votre jour. Je suis une excellente cuisinière. Ted vous le confirmera.

— Je n'en doute pas. Vous savez qu'il a reçu commande de la musique de *Vacances* ?

— Oui. Il y a des années qu'il attendait semblable

chance. Mais, ne vous laissez pas écarter. Vous aussi avez votre importance ; ne faites pas les mêmes bêtises que moi ! Malheureusement, il faut que je rentre maintenant. J'attends votre coup de téléphone. A bientôt.

— Sans faute.

Sabra la regarda s'éloigner. Elle comprenait pourquoi Ted l'aimait bien. Elle était franche, directe et raisonnable.

Et moi, ai-je ces qualités ? se demandait-elle avec inquiétude.

Absolument. Elle releva fièrement le menton et remonta vers la maison avec la ferme intention de mettre ces admirables vertus en pratique immédiatement.

— Ted ! Ted ! appela-t-elle.

Le salon de musique était vide, jonché de feuilles de papier.

— Oui ?

Elle se retourna et le vit entrer dans le salon, une serviette autour du cou et de la mousse à raser sur le visage.

— Il faut que nous parlions maintenant.

— D'accord. Je vous écoute.

Sabra s'assit le plus posément qu'elle put, respira profondément et se lança :

— En venant ici, je me suis compromise, engagée en quelque sorte. Je ne suis pas une habituée de ce genre de situation. Je sais que vous êtes très occupé mais ce n'est pas une raison pour m'exclure de votre vie.

— Lequel de nous deux ferme sa porte au nez de l'autre ? demanda-t-il en la dévisageant sévèrement.

— Vous faites allusion à hier soir ? Vous méritiez pleinement ce que j'ai fait. Vous auriez dû téléphoner, par simple politesse.

— Ai-je mérité une leçon de morale ?

— Je vous en prie, ne me compliquez pas les choses.

Elle tapa du poing sur le bras de son fauteuil avec une telle énergie que Ted sursauta.

— Cessons de tourner autour du pot et tâchons d'être un peu sérieux. Nous avons eu des débuts difficiles mais il serait temps de songer à des bases un peu plus solides.

— Les bases de quoi ?

— D'une vie commune. Enfin, j'espère. Il va vous falloir me faire une place dans cette existence essentiellement remplie de musique. Si ce n'est pas possible, autant que je m'en aille sans attendre davantage.

— Je vous ai fait de la place, Sabra. Je vous ai même donné une chambre, ajouta-t-il avec un sourire ironique. En fait, je suis un vrai saint !

Sabra le considéra un moment en silence. Elle se sentait coupable, niaise et incertaine.

— Ce n'est pas facile pour moi non plus, vous savez. J'apprécie votre patience, mais je n'ai jamais réussi à me persuader tout à fait que vous souhaitiez ma présence ici.

— Ne soyez pas ridicule, Sabra ! Si je ne voulais pas de vous je ne vous aurais pas demandé de venir !

— Vous êtes tellement réticent. C'est difficile d'expliquer ce que je ressens. J'ai la sensation que vous m'avez louée pour des vacances et que vous me rejetterez le moment venu.

— Bien peu de choses sont durables en ce bas monde !

— Avec un tel état d'esprit, nous sommes perdants dès le départ. Je veux vous être indispensable, pas me voir écartée à la première occasion.

— La musique m'est essentielle, vous le savez. Cette commande pour le film, c'est la plus belle offre que l'on m'ait faite depuis des années.

— Moi aussi j'ai une carrière qui compte. Il y a

61

environ deux mois, mon travail tenait tellement de place que je ne voulais pas envisager la moindre relation sérieuse. C'était avant de vous connaître. Quand on veut vraiment, on trouve toujours un moyen.

— C'est différent...

— Non ! Ce genre d'argument ne marche pas. Je ne vois aucune différence sinon que vous gagnez beaucoup plus d'argent que moi.

— Votre salaire n'est pas négligeable, j'en sais quelque chose ! dit-il avec un sourire malicieux.

— Mettons les choses au point, Ted. Prenons-nous le départ, la main dans la main, sur un pied d'égalité ? Je ne vais pas passer ma vie ici, à attendre que vous m'accordiez un peu d'attention et de tendresse quand vous serez en mal d'imagination créatrice.

— Je veux bien essayer, sincèrement, mais ce sera difficile. Depuis si longtemps, la musique m'apporte tout...

— C'est-à-dire ?

— Le plaisir, la douleur, l'excitation, des motifs d'aller de l'avant.

— La musique ne vous apporte pas l'amour, comme le ferait une femme.

— Non, elle ne me donne pas ce que vous pourriez me donner. Je ne vous aurais pas demandé de venir ici si je ne voulais pas de vous, Sabra. Le moment est-il venu de poser les premiers jalons et de fixer quelques règles ?

Elle le regarda, sentit qu'il était sincère et hocha la tête.

— Vous voyez cette porte, là-bas. Quand elle est fermée vous ne l'ouvrez que si vous êtes à l'article de la mort ou que la maison brûle. Pendant que je compose, occupez-vous, vous avez du travail : Suzanne attend de vos nouvelles et des instructions, il y a des articles pour lesquels vous devez donner votre imprimatur et que sais-je d'autre. N'attendez pas de moi tout, tout de suite. Je peux changer mais cela prendra plus de vingt-quatre heures. Pourquoi ce sourire ?

— Je pensais à une autre de nos maximes familiales.

— Qui est ?

— Il est plus facile de déplacer les montagnes que de changer un homme. C'est ce qu'affirmait ma mère.

— Avec une grande sagesse !

— Je ne cherche pas à vous transformer, Ted. Je souhaite seulement passer un peu de temps avec vous. C'est pourquoi nous sommes venus ici, n'est-ce pas ?

— Entre autres choses.

Il lui caressait tendrement la main.

— Vous avez rencontré Linda ?

— Oui. Pourquoi ?

— Pour savoir.

— Elle voudrait nous avoir à dîner.

— Demain vous conviendrait ?

— Parfaitement.

— Alors va pour demain. Mais pas ce soir.

— Non ?

Elle jouait l'étonnement mais elle devinait où il voulait en venir.

— Non. Nous serons très occupés aujourd'hui et cette nuit.

— Vous avez beaucoup de travail ?

— En un sens. Il paraît que je dois vous faire un peu de place.

Il la saisit par la taille et l'amena contre lui.

La fougue de son baiser la surprit et la laissa pantelante. Pour ne pas tomber, tant tremblaient ses jambes, elle s'accrocha à son cou.

Troublantes, brûlantes, enivrantes, les lèvres de Ted remontèrent sur la joue de Sabra, redescendirent, s'arrêtèrent derrière l'oreille, traçant un chemin de feu qui l'embrasait tout entière.

— Venez à moi, douce Sabra, murmura Ted qui caressait sa peau sous son chemisier.

D'un commun accord, ils se laissèrent tomber sur les genoux et, le sourire aux lèvres, Sabra lui déboutonna sa chemise, caressant enfin cette toison bouclée dont elle avait tant rêvé depuis la première minute où elle l'avait entrevue dans l'échancrure de sa chemise.

Fébrilement, à son tour, il la dénuda et le regard enflammé se recula légèrement pour mieux l'admirer.

Les reflets d'or du soleil jouaient sur le corps de Sabra avec autant de délicatesse et de beauté que les mains et les lèvres de Ted.

L'épais tapis moelleux sur lequel il l'allongea lui faisait un écrin de douceur. Sabra ne savait plus si elle était encore sur terre ou si elle flottait sur un merveilleux nuage où seule existait la volupté.

Un dieu, beau comme une statue antique, l'avait emportée sur son Olympe. Emue jusqu'aux larmes, elle le contemplait, le caressait, s'abandonnait à la passion qu'il soulevait en elle.

Son désir, si longtemps contenu, pouvait enfin se donner libre cours !

Emportés dans un indicible délire, ils se découvraient, ils apprenaient les contours de leurs corps avec leurs mains, leurs lèvres, chaque parcelle de leur peau.

Seuls, leurs halètements de plaisir et l'écho des battements de leurs cœurs rompaient le silence, emplissant leurs oreilles d'une musique plus enivrante que toutes les mélodies jamais écrites par Ted.

Ils s'unirent dans un gémissement de bonheur et ensemble ils s'abandonnèrent au tourbillon de la passion avant d'atteindre au feu d'artifice glorieux qui, soudain, embrasa leurs corps et leurs âmes.

Lentement, très lentement, ils reprirent conscience et se sourirent, émerveillés.

— Oh ! Ted, murmura Sabra.

— Ne dites rien. Laissez parler vos sens.

Sans un mot, sans un geste, ils savouraient le silence, la chaleur du soleil, la douceur de leurs corps encore tendrement enlacés.

Peu à peu, ils glissèrent dans un sommeil réparateur dont ils n'émergèrent que pour mieux se reprendre.

— Oh ! Sabra, murmura Ted quand il eut retrouvé le souffle et l'usage de la parole, que notre musique est belle !

— Plus que belle. Divine ! Au-delà de tout ce que j'avais jamais imaginé ou connu !

Chapitre 5

SABRA FINISSAIT DE SE PRÉPARER ET ENFILAIT UN ensemble de soie blanche à ceinture dorée tandis que Ted, encore sous la douche, sifflait joyeusement.

Au souvenir de leur soirée de la veille et de leur nuit, un sourire illumina le visage de Sabra.

Ils avaient passé des heures et des heures dans les bras l'un de l'autre, apprenant à mieux se connaître et se confiant mutuellement sans la moindre réticence.

Jamais elle n'avait éprouvé semblable sensation de liberté, tant physique que morale. Jamais elle ne s'était donnée aussi totalement.

Elle n'avait pas une grande expérience des hommes, étant plutôt réservée et prudente. Elle hésitait à se livrer totalement et restait sur ses gardes.

Avec Ted, toutes les barrières étaient tombées, elle avait réellement eu l'impression de ne plus faire qu'un avec lui.

Après avoir assouvi leur passion, ils avaient dîné tranquillement puis ils s'étaient mis au lit dans la chambre de Ted. Enfin! Des heures durant, ils avaient bavardé.

Il lui avait parlé de son enfance, de son manque de piété qui horrifiait ses parents, de son désir d'apprendre la musique et de l'école où il avait finalement obtenu d'aller étudier.

Il avait évoqué ses débuts difficiles, ses deux années de solitude durant lesquelles il avait travaillé un peu partout dans le pays, généralement dans de sinistres cabarets.

Sabra l'avait écouté religieusement avant de lui raconter qu'elle aussi avait connu des fortunes diverses jusqu'à sa rencontre avec Franz Lieberten. Dès leur première entrevue, il avait reconnu son talent pour l'ordre et la méthode, sa capacité à tenir à distance, courtoisement mais fermement, les importuns de tout genre. Ces qualités, elle l'avait vite compris, n'étaient peut-être pas aussi répandues qu'elle l'aurait cru. Incontestablement, l'expérience l'avait prouvé, elle était faite pour le monde du spectacle.

C'était bien l'avis de Ted; il lui avait répété sa satisfaction de l'avoir pour assistante.

A l'aube, après s'être aimés encore une fois, ils s'étaient paisiblement endormis.

Dans la journée, Sabra s'était mise au travail. Elle avait appelé Suzanne qui lui avait lu les communiqués préparés pour la presse auxquels elle avait fait quelques corrections et rajouts. Elles avaient aussi discuté de la réorganisation de la tournée de Ted.

Sabra avait ensuite eu une interminable et difficile conversation avec Barney Schultz, l'imprésario de Ted. Au début, il s'était montré plutôt désagréable mais finalement, après une heure de palabres, elle avait réussi à le calmer. Il avait promis de prendre contact avec tous les directeurs de salles, le plus rapidement possible, et de mettre sur pied un nouveau calendrier.

Apparemment, Barney ne croyait pas beaucoup à l'accident de Ted malgré le rapport du médecin que, d'ailleurs, il n'avait pas lu. Sans doute connaissait-il assez son poulain pour soupçonner Ted d'avoir préféré se consacrer entièrement à la musique de *Vacancies* plutôt que de continuer sa tournée. Tout cela avait été plus suggéré que dit. Barney n'avait pas lourdement insisté. Il avait seulement insinué, avec un petit ricanement ironique, qu'il espérait que Ted mettrait son repos forcé à profit !

Ted était resté totalement en dehors de toutes ces conversations. Il s'était enfermé dans la salle de musique avec un sandwich, et n'en était ressorti qu'à six heures du soir, le sourire aux lèvres. Sans doute la journée avait-elle été particulièrement productive.

Il avait dormi une heure puis, frais et dispos, il se préparait pour aller dîner chez Linda et Allan.

Il sortit de la salle de bains, rasé de près et les cheveux encore mouillés, et se choisit un pantalon bleu marine, une chemise de coton bleu ciel et un blazer ivoire, presque blanc.

— Vous êtes bien belle ! dit-il à Sabra tandis qu'il s'habillait devant la glace.

— Vous n'êtes pas mal non plus, répondit-elle avec le sourire.

Il vint vers elle, l'embrassa dans le cou et demanda :

— Vous aimez Linda ?

— Beaucoup. Allan, je ne sais pas. Je ne l'ai rencontré qu'une fois au bureau, à New York, il m'a semblé gentil.

— Un peu conventionnel, mais sympathique.

— Conventionnel ?

— De temps à autre il me fait la morale. Il trouve ma vie trop désordonnée. D'après lui, je devrais me fixer, me calmer et ne plus dépenser la même débordante énergie que lorsque j'avais dix-huit ans.

— Vous menez vraiment une vie désordonnée ?

— Qu'en pensez-vous, vous qui me connaissez bien ? Je passe mon temps en beuveries et orgies en tous genres ? Je fréquente des femmes de mauvaise vie ? Je dépense mon argent au jeu ? Ou bien suis-je un travailleur acharné à l'existence exemplaire ?

— La seconde proposition me semble plus proche de la vérité mais peut-être qu'aux yeux d'un avocat, le spectacle et la vie nocturne sont forcément l'antichambre de l'enfer.

— Peut-être.

Il alla près de la fenêtre, et contempla à travers les rideaux l'océan où la lune semblait éclater en une myriade d'étoiles.

— Parfois je me demande si Linda ne lui raconte pas des horreurs sur mon compte.

— Cela m'étonnerait.

Sabra était maintenant près de lui, la tête contre son épaule.

— Linda vous aime beaucoup. Je ne la vois pas se répandant en commérages contre vous.

— Même avec son mari ?

— Ce n'est pas son style. Je la crois plutôt du genre loyal, et même un peu protecteur envers vous.

Comme il ne disait rien, Sabra reprit :

— C'est par votre entremise qu'ils se sont connus ?

— Oui. Elle m'a quitté pour lui.

— Ah bon ! Je croyais que vous aviez décidé de vous séparer d'un commun accord.

— En fait, vous avez raison. Notre mariage était déjà menacé quand nous sommes sortis de l'église. J'ai toujours su qu'un jour ou l'autre elle trouverait quelqu'un d'autre.

— Pourquoi n'est-ce pas arrivé à vous, plutôt ?

— Parce que moi, je ne cherchais pas quelqu'un d'autre. Je ne pensais qu'à ma carrière. C'est d'ailleurs une des raisons de notre mésentente. Je n'avais pas le temps de m'occuper d'elle.

— On tire souvent de bonnes leçons de ses erreurs.

— Heureusement, mais c'est triste d'avoir à faire souffrir les autres pour acquérir de l'expérience.

— Finalement, vous ne vous en êtes pas trop mal sortis, Linda et vous.

— Non. Elle est follement heureuse. Du moins le prétend-elle.

— Vous en doutez ?

— Qui sait ce qui se passe dans l'intimité des couples ? Tant de mariages heureux se terminent tristement. On finit par ne plus croire à l'image que les gens vous donnent d'eux.

L'amertume de cette remarque lui donna froid dans le dos mais un baiser de Ted la rassura. Son désir, sa passion étaient bien sincères.

Brusquement il s'éloigna en riant.

— Si je m'écoute, nous n'irons jamais à ce dîner.

— Pourquoi ? demanda malicieusement Sabra.

— Vous voulez une démonstration ?

— Non, non, pas maintenant. On nous attend.

Bras dessus, bras dessous, ils quittèrent la maison et gagnèrent à petits pas celle de Linda, dont toutes les fenêtres éclairées laissaient échapper les échos d'une chanson de Ted.

— Décidément, dit-il en appuyant sur la sonnette, Linda a toujours aussi bon goût ! En musique, s'entend.

Ce fut Allan qui vint leur ouvrir.

— Je suis très heureux de vous revoir, Sabra ! s'exclama-t-il.

— Moi aussi, répondit-elle avec un enthousiasme plus mesuré.

Avec ses murs lambrissés et ses tapis colorés, la maison était chaleureuse et accueillante. Ils se dirigèrent vers un salon aux meubles anciens, soigneusement cirés, décoré de nombreuses plantes vertes. Le feu de la cheminée et les profonds fauteuils de cuir donnaient envie de s'installer et de ne plus bouger.

— C'est bien joli chez vous, dit Sabra, le plus sincèrement du monde.

— Vous êtes gentille. Evidemment, comparé à la demeure monacale de Ted... A vaincre sans péril on triomphe sans gloire ! Son appartement de New York est un peu moins dépouillé. De toutes ses résidences, c'est celle que je préfère, encore que Sainte-Croix ne soit pas mal non plus. Qu'en pensez-vous, Sabra ?

— Je ne sais pas, répondit-elle avec réticence, je n'y suis jamais allée.

— C'est vrai, que je suis sotte !

— Mais vous irez peut-être un jour, intervint Allan avec une excessive suavité. Existe-t-il une seule de vos tendres amies qui connaisse tous vos domiciles, Ted ?

— Linda, de toute évidence.

Allan pâlit et Linda toussota nerveusement. Tous deux étaient très mal à l'aise.

D'un air parfaitement détaché, Sabra vint à leur secours.

— Et vous, leur demanda-t-elle, avez-vous aussi un appartement à New York ?

— Oui, répondit Linda avec un sourire de gratitude. Mais notre vraie maison, c'est ici, n'est-ce pas, Allan ?

— Oui, ma chérie. Nous adorons la Californie, contrairement à Ted.

— Le seul avantage de cette région, expliqua celui-ci, c'est le climat. Sinon ma ville natale et son bruit me manquent.

— Je sais, vous avez toujours aimé l'agitation. Moi, j'ai besoin de calme et de tranquillité, dit Allan.

— Dans le silence, je m'endors et je ne peux pas travailler.

— Chacun sait que seul le travail compte dans votre vie.

— Pas seulement.

— C'est vrai, vous êtes aussi gourmand. Linda s'est surpassée pour vous et pour Sabra, ce soir. Vous aimez l'espadon ? demanda-t-il en se tournant vers elle.

— J'adore.

— Alors vous allez être comblée, intervint Linda. Vous êtes prêts à passer à table ? Allons-y.

Linda passa son bras sous celui de son mari. Sabra se dirigea vers Ted et il lui prit gentiment la main pour la conduire jusqu'à la salle à manger.

Un sourire affleura ses lèvres. Un souvenir remontait à sa mémoire : elle avait dix ans et son premier amoureux l'emmenait souffler les bougies de son gâteau d'anniversaire. Ici aussi il y avait des bougies sur la table, là s'arrêtait la ressemblance.

L'espadon, accompagné de pommes de terre et de sauce à la crème et au citron, fut un vrai régal. De même que le bavarois aux cerises et le vin blanc régional.

Après le repas, ils retournèrent au salon où le maître de maison leur servit de généreux cognacs dans d'admirables verres ballons de cristal.

Humant la précieuse liqueur, Sabra écoutait Allan raconter un de ses procès — le plus amusant de sa carrière, affirma-t-il — et elle essayait de se faire une opinion un peu plus précise sur lui.

Une tête blonde, légèrement chauve, perchée sur un grand corps maigre aurait pu évoquer un oiseau tombé prématurément du nid si son pantalon gris anthracite et sa stricte chemise blanche ne lui avaient conféré un sérieux tout professionnel, accentué par son élocution claire et un peu lente.

Mais où était le vrai Allan ? Dans l'oiseau égaré et

encore juvénile ou dans l'avocat confirmé ? Etait-il gentil comme il voulait le faire croire avec ses sourires et ses attentions pour son épouse ou cruel comme le laissaient supposer son nez aquilin et ses lèvres pincées ?

Une seule chose paraissait certaine à Sabra : il était d'une nervosité maladive. Il ne tenait pas en place, se rongeait souvent les ongles, fronçait les sourcils et regardait sans cesse autour de lui d'un air inquiet sans jamais fixer son regard plus de trente secondes.

Il n'était visiblement pas à l'aise avec ses visiteurs. Soit pour compenser, soit pour se venger, il ne cessait d'insinuer avec tout l'art d'un maître du barreau que la vie de Ted n'était qu'une longue suite d'aventures passagères et que Sabra n'était que l'une de ses innombrables maîtresses destinées à disparaître à son tour.

Linda, par contre, semblait ravie de la présence de son ex-mari et de son assistante qu'elle gratifiait de ses plus charmants sourires.

Ils formaient un étrange couple et Sabra se demandait comment elle avait pu passer de l'univers de Ted à celui d'Allan. Le fait est qu'elle semblait heureuse. Souvent elle regardait son mari avec une infinie tendresse ; en cette minute, par exemple, alors qu'il terminait son récit.

— Allan, lui demanda-t-elle, je peux leur apprendre la nouvelle ?

— Bien sûr, ma chérie. Je suis certain qu'elle fera très plaisir à Ted.

Rougissant légèrement, Linda fixa Ted et presque timidement annonça :

— Nous allons avoir un bébé.

Ted, qui allait boire, fut tellement surpris qu'il faillit s'étrangler. Un instant, il resta sans voix puis afficha un sourire de circonstance.

— Un bébé ? répéta-t-il presque trop poliment. Est-ce possible ? Tu as donc changé d'avis ?

— Grâce à moi, intervint fièrement Allan. Vous comprenez, elle se sent plus en sécurité maintenant. Pour décider de fonder une famille, une femme a besoin de stabilité, vous ne croyez pas, Sabra ?

— Eh bien ! J'imagine que des quantités d'éléments entrent en compte avant de prendre une telle responsabilité. La stabilité ou la sécurité ne sont qu'un aspect du tout. Pour quand la naissance est-elle prévue ?

— Dans sept mois. Ted, je me demandais si tu accepterais d'être le parrain ?

Ted, de plus en plus stupéfait, écarquilla les yeux et dévisagea Allan dont le visage impassible ne trahissait aucun sentiment.

— Il me faudra y réfléchir, répondit Ted.

— J'espère vraiment que ce sera oui, dit Linda avec un enthousiasme exagéré.

Le silence qui suivit parut d'autant plus pesant ; on n'entendait que le sourd roulis de la mer qui ne dissipa pas le malaise ambiant.

Sabra croisa le regard anxieux de Ted et porta sa main à son front.

— Vous avez mal à la tête ? demanda-t-il.

— Oui. J'ai trop bu. Je n'ai pas l'habitude.

— Mieux vaut rentrer, dans ce cas. De toute façon, il est déjà tard. Merci, Linda, et vous aussi, Allan, pour cet excellent dîner et cette charmante soirée. Toutes mes félicitations pour l'heureux événement. On vous fait signe bientôt pour qu'à votre tour vous veniez chez nous. D'accord ?

— Vous faites la cuisine, Sabra ? questionna Linda en les raccompagnant jusqu'à la porte.

— Pas aussi bien que vous, mais je me débrouille. Merci de votre accueil et bravo pour le bébé, ajouta-t-elle. Je suis vraiment heureuse pour vous !

— Ted, reprit Linda en riant sur le seuil de la porte, fais attention à ton dos !

Dès qu'ils furent hors de portée de voix, Ted s'inquiéta :

— Vous avez vraiment mal à la tête ou vous êtes seulement venue à mon secours ?

— Vous étiez si gêné que je n'ai pas pu faire autrement.

— Gêné est peu dire. Allan et moi nous entendions beaucoup mieux avant son mariage avec Linda. J'ai envisagé de changer d'avocat mais je me suis abstenu pour ne pas blesser Linda.

— Que disiez-vous à propos de Linda et des enfants, elle n'en voulait pas ?

— Pas avec moi, en tout cas. Nous étions jeunes et rien ne pressait.

— Vous non plus n'aviez pas envie d'en avoir ?

— Non, pas à cette époque. J'étais trop préoccupé par ma carrière. Avant tout, je voulais me faire un nom.

— Et maintenant ?

Les yeux fixés sur l'océan, Sabra attendit la réponse avec une certaine anxiété.

— Il m'arrive d'y penser et de le souhaiter.

Il la prit dans ses bras et l'embrassa longuement avant de poursuivre :

— Allan était insupportable ce soir. Avez-vous remarqué comme il cherchait à vous démonter et à vous alarmer ?

— Oui. Il n'est pas avocat pour rien. Il manie l'allusion cruelle avec art.

— J'aurais dû le remettre à sa place.

— Cela n'en valait pas la peine.

— Pas la peine ? protesta Ted. Mais, Sabra, vous n'êtes par une amie comme celles dont il parlait, vous êtes beaucoup plus, vous le savez, j'espère ?

— Oui, mais j'aime à vous l'entendre dire.

De nouveau, il prit ses lèvres passionnément, presque désespérément.

— Je suis vraiment heureux que vous soyez là ce soir, murmura-t-il en reprenant sa marche.

— Pourquoi particulièrement ce soir ?

— Il y a des jours où l'on n'a pas envie d'être seul, où l'on a besoin de tenir quelqu'un qui vous est cher dans ses bras. Acceptez-vous que je vous serre contre moi toute la nuit ?

— Avec plaisir.

Tendrement enlacés, ils grimpèrent leur escalier et avant de rentrer contemplèrent en silence le clair de lune sur l'océan qui, pour une fois, méritait son nom de Pacifique. Debout derrière Sabra, Ted la tenait contre lui et de temps à autre l'embrassait dans la nuque.

— Je pourrais passer ma vie à vous couvrir de baisers, murmura-t-il. J'oublierais tout, sauf vous, et je serais parfaitement heureux.

— Vraiment ?

— Oui, vous ne l'ignorez pas.

— Alors qu'attendez-vous ?

Elle ne le savait pas aussi rapide. Avant qu'elle ait compris ce qui lui arrivait, elle était dans ses bras et il l'emportait dans la maison.

— Lâchez-moi, dit-elle en riant, vous allez encore vous donner un tour de reins !

Pris au dépourvu, il trébucha et la remit sur ses pieds. Sabra partit d'un grand rire mais l'intensité du regard de Ted la calma.

— Vous êtes si belle quand vous riez ! murmura-t-il, frémissant de passion.

Un instant Sabra observa son visage, se noya dans le vert de ses yeux assombris par le désir puis tout à coup partit en courant vers leur chambre.

Une minute plus tard, la porte se refermait sur eux.

Sabra raccrocha, gribouilla quelques mots sur une feuille et considéra, pensive, la liste de tout ce que lui avaient demandé Suzanne et les autres collaborateurs du bureau.

Il y avait du courrier qui attendait l'agrément de Ted, d'innombrables messages téléphoniques, des contestations à propos des nouveaux contrats et des photos à choisir pour la jaquette de son prochain disque. Il y avait aussi un problème dans l'enregistrement d'une de ses dernières chansons : un bruit de fond ou une musique mal étalonnée. Elle ne savait plus au juste, mais Ted comprenait de quoi il s'agissait.

Le téléphone sonna et Sabra prit le combiné, persuadée que Suzanne avait oublié encore quelque chose.

— Enfin ! Je réussis quand même à vous parler.

— Ted ! Bonsoir. Comment allez-vous ? Vous avez fini au studio ?

— Je reviens avec une amie, Sabra, mais ne prévoyez pas de dîner. Nous mangerons un sandwich car nous serons là assez tard.

— Une amie ? répéta Sabra les sourcils froncés.

A l'eau, le dîner tranquille avec Ted et la promenade sur la plage.

— J'ai pensé... Attendez une minute...

Sabra se redressa sur son siège et essaya de saisir ce que disait Ted à la personne qui l'avait interrompu.

— D'accord, entendit-elle, c'est plus simple. Sabra ?

— Oui.

— Je vais aller chez mon amie, plutôt. Ne m'attendez pas, je ne sais pas quand je rentrerai. Nous allons travailler tard.

— Avec votre amie ?

— Oui. C'est une musicienne qui écrit des chansons. J'ai besoin d'une oreille neuve. Vous ne m'en voulez pas ?

— Non, mais...

— Parfait. A demain. Au revoir.

Rageusement, elle reposa l'appareil.

C'était gentil de l'avoir prévenue mais pourquoi faire semblant de vouloir rentrer pour aussitôt changer d'avis ? Pourquoi n'avait-il pas décidé de ce qu'il allait faire avant de téléphoner ? A quoi rimait cette comédie puisqu'il ne se souciait nullement de ce qu'elle pensait ?

Elle réfléchit deux minutes et se raisonna. Il était venu en Californie pour travailler et il le faisait. Quoi de plus normal ? Il avait besoin d'un avis ? C'était la moindre des choses.

Elle aussi ferait bien de s'occuper de choses sérieuses au lieu de s'énerver pour des bêtises.

Résolument, elle alla dans la chambre d'ami transformée en bureau depuis qu'elle ne l'occupait plus.

Elle s'assit devant sa machine pour mettre au propre les notes que Suzanne lui avait dictées.

En cherchant du papier, elle tomba sur l'album de presse de Ted. Elle savait qu'il était là et plusieurs fois elle avait été tentée de le feuilleter mais elle avait toujours hésité. N'était-ce pas indiscret ?

Après tout Ted était un personnage public et ce que publiait la presse n'était un secret pour personne.

La première photo la fit sourire : Ted, à seize ans, coiffé comme Elvis Presley, posait avec les musiciens d'un petit orchestre depuis longtemps oublié, les Upbeats.

Puis, pas à pas, Sabra suivit sa carrière. Les Jumping Beans à dix-huit ans, les Tormentors un peu plus tard.

Venait ensuite une photo un peu moins défraîchie : Ted y était en bonne place, au milieu de personnalités de l'industrie du disque, après son premier enregistrement à succès.

Le reste, elle connaissait ; c'était l'histoire de son ascension vers la gloire ; une gloire qui s'était peut-être fait un peu attendre mais qui ne se démentissait pas. Tous les chanteurs ne pouvaient pas en dire autant.

Il y avait aussi une coupure de presse relatant son mariage avec Linda, et une autre annonçant son divorce et signalant qu'il avait refusé de parler aux journalistes. Tout à fait lui ! Sa vie privée ne regardait personne !

Puis il y avait eu les disques d'or et de platine, les triomphes de certains titres, les tournées, les représentations exceptionnelles pour le Président à la Maison Blanche.

A la dernière page, une photo retint particulièrement l'attention de Sabra ; celle d'une jeune femme avec une dédicace plus que chaleureuse : « Pour Ted, à jamais, Mellie ».

Melinda Taylor. Sabra l'avait parfaitement reconnue.

Comme Ted, elle composait et interprétait ses propres chansons et avait souvent signé des musiques de films.

Un entrefilet accompagnait la photo ; il faisait état de la présence de Ted et de Melinda à une des plus importantes soirées musicales de la saison et annonçait leur intention d'enregistrer un disque ensemble.

« Nous nous connaissons depuis des années, faisait-on dire à Melinda, et il y a entre nous des affinités qui devraient donner d'excellents résultats dans un travail en commun. »

Sabra, les sourcils froncés et le cœur un peu lourd, referma l'album de presse et le rangea.

Ce soir, Ted était avec Melinda, elle le sentait au

plus profond d'elle-même. Ils travaillaient ensemble et...

Refusant absolument de s'abandonner à la jalousie qui lui mordait le cœur, elle se mit à sa machine et tapa fébrilement sa liste et quelques lettres.

Ensuite elle se mit au lit. Il était beaucoup trop grand pour elle toute seule. Elle s'y sentait totalement perdue sans Ted. Elle étreignit son oreiller dans ses bras et chercha à retrouver l'odeur de l'homme qu'elle aimait. Quel triste produit de remplacement !

De fil en aiguille, elle repensa à une de ses amies qui avait détruit son ménage par une stupide jalousie sans objet.

A l'époque, Sabra l'avait trouvée parfaitement ridicule et justement punie de sa bêtise.

Elle n'allait pas, à son tour, tomber dans les mêmes erreurs. De toutes ses forces, elle voulait faire confiance à Ted.

Le jour se levait lorsque enfin elle s'endormit, son oreiller toujours pressé contre elle.

Chapitre 6

SUR LA POINTE DES PIEDS, SABRA S'APPROCHA DE LA SALLE de musique et, l'oreille collée à la porte, essaya de comprendre ce qui se disait à l'intérieur.

Réveillée par le piano, elle s'était levée d'un bond, avait traversé le hall en courant et s'était arrêtée net en entendant un rire féminin auquel avait bientôt fait écho celui de Ted.

Elle était retournée dans la chambre, s'était habillée et coiffée à la hâte et maintenant elle était là à écouter Melinda Taylor.

— C'est vraiment mieux, affirmait la chanteuse. Tu as fait d'énormes progrès. Tu peux être fier de toi, tu sais.

— Je le suis, mais rendons à César ce qui est à César. Sans toi, je ne sais pas si je m'en serais sorti. Tu es ma bonne fée.

Profitant d'un silence, Sabra, dont l'imagination commençait à s'emballer, fit irruption dans la pièce.

Melinda, accoudée au piano, discutait d'un rythme délicat avec Ted assis devant le clavier.

Les deux amis se retournèrent d'un même élan et le même sourire ravi illumina leur visage.

— Sabra! s'exclama Ted, venez, que je vous présente à Mellie. Melinda, voici Sabra.

— Bonjour, dit la chanteuse, en lui serrant chaleureusement la main.

— Bonjour à vous. J'espère que je ne vous dérange pas.

— Sûrement pas, répondit Melinda, au contraire, cette interruption tombe à pic. Il y a quatorze heures que nous sommes sur cette partition.

— J'ai les jambes complètement engourdies, renchérit Ted, en se levant et en s'étirant. Mellie, tu vas prendre le petit déjeuner avec nous, j'espère.

— Certainement, avec plaisir. Qui le prépare?

— Moi, je suppose, intervint Sabra.

Le sourire aux lèvres, Ted vint l'embrasser.

— Je vais vous aider. Vous ai-je manqué?

— Manqué? répéta Sabra qui mourait d'envie de le faire enrager. Etiez-vous absent?

— Très drôle! répliqua Ted, sur le même ton. Vous feriez une excellente comédienne.

— J'y songerai la prochaine fois que je chercherai du travail. Allez prendre une douche et vous changer pendant que je prépare le café, vous vous sentirez beaucoup mieux après.

Avec un clin d'œil à Melinda, il obtempéra.

— Je ne suis pas très douée pour la cuisine, signala Melinda, mais je peux mettre le couvert.

— Je vous remercie. Les assiettes sont dans le placard de la cuisine et les couverts dans le tiroir du buffet.

— Hmmm! Quelle délicieuse odeur! s'extasia la chanteuse en revenant, sa tâche accomplie. J'aimerais apprendre à cuisiner mais imaginez que je réussisse! Mes amis m'apprécieraient plus pour mes bons petits plats que pour mes chansons!

— Un tel danger ne me menace pas, répondit

Sabra qui ne put retenir un sourire. Ce que je fais est comestible, sans plus.

— Nous devrons donc trouver d'autres moyens de retenir nos hommes à la maison. Nos charmantes silhouettes et notre brillante conversation, par exemple.

La bonne humeur de Melinda était communicative. Sabra ne put s'empêcher de rire.

Tout en tournant ses œufs brouillés et en faisant frire son bacon, elle examinait sa visiteuse inattendue.

Elle avait un charmant petit minois semé de taches de rousseur, un nez légèrement retroussé, de beaux cheveux noirs bouclés, un sourire à damner un saint et des yeux pétillants de gaieté et de malice.

Sa toilette révélait un tempérament farfelu : pantalon de golf rouille sur des bas noirs et des chaussures plates ; large chemisier à manches bouffantes et au décolleté profond, foulard de gavroche autour du cou : le tout très osé et provocant.

— Alors ? demanda Melinda en allumant une cigarette. Que pensez-vous de la cohabitation avec notre cher lunatique ?

Prise au dépourvu, Sabra ne put que bafouiller :

— C'est intéressant. Vous l'appelez toujours ainsi ?

— Quand je suis très polie, seulement.

Elle emporta les œufs sur la table et revint en déclarant :

— Vous êtes plus courageuse que moi.

Sabra ne fit aucun commentaire. Elle n'avait aucune envie de confier à Melinda des révélations sur sa vie avec Ted.

Inconsciemment, elle ressentait la chanteuse comme une rivale, bien que son comportement fût très amical. Aucun mot ne pourrait exprimer ce qu'elle partageait avec Ted. D'ailleurs, comment avouer qu'elle ne se sentait pas sûre d'elle et n'avait qu'à demi confiance ? Dès qu'elle n'était plus seule avec lui et de préférence dans ses bras, elle éprouvait une sorte de sourd malaise.

— Vous avez terminé ? demanda Melinda en désignant le bacon grillé. Je peux l'emporter aussi ?

— Oui, merci.

Tout en mettant du pain à griller, Sabra revint à ses sombres pensées. Elle se savait incapable de supporter une situation ambiguë indéfiniment. Il devenait urgent d'en discuter avec Ted avant qu'elle ne commette une maladresse.

— Voilà un Ted tout neuf ! s'écria Melinda en le voyant revenir à la cuisine. Nous parlions de toi comme tu l'espérais.

— Est-il si facile de lire dans mes pensées ? répliqua Ted. Quelle merveilleuse odeur, Sabra ! Je prends les toasts. Que manque-t-il d'autre ?

— La confiture et le beurre.

Il était vraiment d'une humeur charmante, probablement grâce à la présence de Melinda.

Toujours songeuse, Sabra débrancha la cafetière électrique et l'emporta à la salle à manger où les deux amis étaient déjà installés.

— Quel délice ! dit Melinda après la première bouchée. Pour manger d'aussi bons œufs, je ferais n'importe quel détour.

Elle exagérait un tantinet. N'importe qui pouvait préparer un petit déjeuner aussi simple ! Sans doute cherchait-elle à se montrer aimable.

— Ma chère Mellie, plaisanta Ted, tu ferais du chemin rien que pour qu'on te fasse bouillir de l'eau ou qu'on t'ouvre une boîte de conserve.

— Non mais vous l'entendez, Sabra ? Lequel de nous deux a voulu faire du pop-corn en oubliant de mettre un couvercle sur la casserole, toi ou moi ? Si vous aviez vu le tableau, Sabra ! Le maïs soufflé sautait partout dans la cuisine ; on devait ouvrir la bouche pour l'attraper au vol !

A cette évocation, le fou rire les prit tous les trois.

— Heureusement, reprit Melinda, la moitié a brûlé au fond de la casserole, ce qui nous a épargné de la peine.

— J'ai dû la jeter, dans l'état où elle était : irrécupérable ! De toute façon, tout ce qui ne se nettoie pas dans le lave-vaisselle finit à la poubelle, avoua Ted.

— Bravo ! Voilà comment je comprends les tâches domestiques.

Cette complicité arracha un soupir à Sabra. Elle se sentait tenue à l'écart, spectatrice indésirable d'une scène d'intimité à deux.

Elle fit de louables efforts pour chasser cette sensation et participer de temps à autre à la conversation, sans grand succès. Ted et Melinda étaient engagés dans un dialogue. Rien qu'un dialogue.

C'est avec un réel soulagement que Sabra vit la jeune femme se lever de table et l'entendit annoncer qu'elle s'en allait.

— J'ai été ravie de vous connaître, Sabra, lui dit-elle, apparemment avec sincérité. A demain au studio, Ted.

Au studio ? Sabra fronça les sourcils et un pli amer se creusa au coin de ses lèvres. Pourquoi diable se rencontraient-ils au studio ?

— Dieu, que je me sens bien ce matin ! s'exclama Ted.

Il s'étira, puis il prit Sabra dans ses bras et la serra contre lui.

— Je suis quand même fatigué après cette nuit blanche. Je vais dormir, un peu. Pas d'objection ?

— Non.

Les questions se bousculaient dans sa tête. Elle avait besoin d'une réponse pour ne pas devenir folle.

Elle lui échappa, fit volte-face et se jeta à l'eau.

— Vous la verrez demain ?

Au regard qu'il lui lança, elle comprit qu'il se fermait comme une huître.

— Oui, dit-il à contrecœur.

— Pourquoi ? Elle vous aide à écrire la musique du film ?

— Mais non, voyons ! Simplement, je ne peux pas me passer d'elle.

Le sarcasme fit mouche. Le visage de la jeune femme devint livide et elle serra les dents pour ne pas pleurer.

— Sabra ! Ne commencez pas, je vous en prie.

— Je voudrais seulement savoir.

— Non !

Il lui tourna brutalement le dos puis, ayant retrouvé son calme, lui fit face à nouveau. Il semblait déçu mais décidé.

— Je ne veux pas de scènes de jalousie, jamais. Vous devez me faire confiance. Si vous ne pouvez pas ou si vous n'êtes pas heureuse, je ne vous retiens pas.

Sous la violence du propos, Sabra vacilla.

— Vous ne voulez plus de moi ?

— Je n'ai pas dit ça. Je souhaite que vous ne partiez pas, sauf si vous êtes malheureuse...

— Je vous crois ; je ne pense pas que vous désiriez mon départ mais vous l'accepteriez. Depuis le premier jour, vous voyez notre séparation comme inévitable. Je ne serais même pas surprise que vous poussiez un soupir de soulagement si je retournais à New York.

Ted était l'image même de la stupeur. Il ouvrit la bouche et la referma, avant de se laisser tomber sur le canapé.

— Melinda est une amie, Sabra, dit-il enfin, rien qu'une amie !

— Ce n'est pas le problème, répliqua Sabra rouge de colère, vous le savez aussi bien que moi. Pourquoi, mais pourquoi avez-vous une attitude aussi négative, défaitiste ? Comment pouvez-vous me demander de m'en aller ?

— Je ne vous le demande pas.

— Vous l'avez quand même suggéré. Depuis le début, la phrase était toute prête à sortir à la première difficulté.

— C'est faux. Absolument faux !

— C'est aussi ma faute, admit Sabra, un peu plus calme. Je vous provoque, peut-être, mais c'est parce que je me sens mal à l'aise. Donnez-moi un gage de votre amour.

— Il est un peu tôt, ne croyez-vous pas ? Laissez-nous un peu de temps.

— Alors pourquoi m'avoir demandé de venir ici ? Pauvre sotte que je suis, je me suis bien leurrée...

— Que voulez-vous dire ?

— Nous sommes sur des longueurs d'onde totalement différentes. En acceptant de vous suivre ici, je vous ai donné une sorte de consentement. J'espérais que vous aviez compris.

— Que vous songiez au mariage ?

— Est-ce une idée vraiment absurde ?

— Sabra ! Ne précipitez pas le mouvement, je vous en supplie. Ne me posez pas ce genre de question maintenant. Je ne peux pas à la fois réfléchir à mon avenir, écrire la musique du film et songer à réorganiser ma tournée. Je vous jure que je ne peux pas. Vous non plus n'êtes pas prête à vous lancer dans semblable aventure, vous n'avez même pas confiance en moi !

— Vous avez raison, j'ai besoin de souffler. Je ne me sens pas bien ici, sauf quand je suis dans vos bras.

Elle le vit s'avancer mais elle secoua la tête et s'éloigna jusqu'à la fenêtre.

— Vos bras seuls ne me suffisent pas. Jamais de ma vie je n'ai été aussi attirée par un homme que par vous. Vous me faites totalement perdre la tête.

Je suis comme un coquillage ballotté au gré des vagues. Pour une fois, j'ai écouté mon cœur et je ne suis pas sûre d'avoir eu raison.

— Vous n'essayez pas de me dire que vous partez ? demanda-t-il d'une voix altérée par le chagrin.

— Si. Pour un temps.

Il pâlit, son regard se voila, mais elle continua :

— De toute façon, il faut que j'aille à New York. Je ne travaille pas bien ici. Je suis trop isolée.

— Sabra, j'ai besoin de vous, avec moi.

— Je serai absente une semaine ou deux. Il me faut votre avis sur un certain nombre de points, dit-elle en lui tendant la feuille dactylographiée qu'elle avait tapée la veille. Après je retourne à New York régler tous vos problèmes.

— Et quand vous reviendrez ?

— Nous verrons.

Son air de chien battu l'attendrit tant qu'elle se jeta dans ses bras.

— Vous êtes vraiment sûre, Sabra ? Il y a si peu de temps que vous êtes ici. Tout s'arrangera.

— Je l'espère. En attendant, laissez-moi partir, Ted, je vous en prie.

Il la lâcha avec un geste d'impuissance.

— Je ne vous retiens pas. Je ne veux que votre bonheur, je n'ai pas envie de vous voir souffrir. J'étais sincère quand je vous l'ai dit.

— Vous aussi vous avez besoin de solitude, dit-elle avec un pâle sourire. Ne le niez pas, vous venez de m'expliquer que vous étiez débordé.

— Je me suis mal exprimé.

— Non, vous aviez raison. Vous êtes tiraillé dans tous les sens à la fois et vous avez besoin de savoir où vous en êtes. De plus, vous n'avez pas idée des ennuis que nous avons à cause de vous. Les directeurs de salles ne croient pas du tout à votre mal au dos. Certains sont vraiment malveillants et désagréables. Il faut que je les voie avec Barney, une présence féminine n'est pas sans effet.

— Je sais.

Sa voix la fit frissonner et son regard brûlant lui fit perdre la tête. Elle baissa les yeux, tenta d'apaiser les battements de son cœur.

— Je vais me retenir une place pour demain.

— Ne m'en parlez pas maintenant. Partez s'il le faut, mais je ne veux pas vous l'entendre dire.

Il était trop malheureux. Voyant sa douleur profonde, elle s'abandonna dans ses bras.

Désespérément, il la couvrit de baisers et de caresses; sa fièvre était communicative. Sabra, sentant le désir de Ted, était prête à lui céder quand le téléphone sonna.

— Laissez sonner, murmura-t-il, en l'entraînant dans leur chambre.

Ils s'aimèrent tendrement, passionnément, comme s'ils ne devaient jamais se revoir. Une atmosphère de tristesse assombrissait le moindre de leurs gestes, de leurs baisers.

Quand Ted épuisé s'endormit au creux de l'épaule de Sabra, elle lui caressa doucement les cheveux, s'efforçant de ne pas penser au lendemain.

Elle savait qu'il lui faudrait partir, s'arracher à lui; pour l'instant, il était dans ses bras et c'était la seule chose qui comptait. Rien d'autre n'avait de réalité. Rien d'autre n'existait.

Chapitre 7

— MON DIEU, SOUPIRA SUZANNE, COMME JE SUIS contente que vous soyez revenue ! Depuis deux semaines que vous êtes là tout est rentré dans l'ordre comme par enchantement. Nous avions vraiment besoin de vous !

— J'avais cru comprendre que vous étiez au bord du désespoir, alors j'ai laissé Ted à sa chère Californie et j'ai accouru pour que nous puissions régler tous nos petits problèmes la main dans la main.

Mentir avec autant de facilité la surprenait toujours. Maintenant, pour toutes les circonstances, elle avait une collection de mensonges toujours prêts à l'emploi !

Plus étonnant encore : tout le monde semblait la croire !

Personne ne se souciait-il de ses yeux cernés ni ne remarquait-il sa profonde tristesse ?

— Heureuse idée ! reprit Suzanne. Notre patron n'a aucune idée des catastrophes qu'il engendre. Ce n'est pas sa faute, il n'y est pour rien, je sais ; mais tout de même ! Les directeurs de salles se sont jetés sur nous, l'insulte à la bouche. Quand celui de Dallas a téléphoné, il a été tellement odieux que Jane et Lucy ont fini par éclater en sanglots. Je ne serais pas étonnée qu'il annule purement et simplement le concert.

— Mais non ! Barney et moi allons à Dallas pendant le week-end. Nous trouverons bien le moyen de le caresser dans le sens du poil.

— Eh bien, bon courage ! Moi, je suis à bout. En rentrant ce soir, je me couche et je ne me relève que lundi matin ! Mais je me plains tout le temps ; pour ce pauvre Ted, ce doit être bien pire, lui qui déteste tant l'immobilité !

— Il a profité de son repos forcé pour écrire sa musique de film. Il est tellement passionné qu'il en a oublié ses douleurs. Quand il aura fini, il sera prêt à reprendre la route.

— Heureusement. Maintenant je m'en vais, j'en ai assez de ces quatre murs. Et vous ?

— J'ai encore deux ou trois choses à ranger. Il faut que je prépare mon dossier pour Dallas. Après, je file à la maison de disques et de là directement à l'aéroport. Je pars dès ce soir pour le Texas.

— Vous devriez vous ménager un peu, Sabra. Vous allez finir par vous effondrer.

— Ne vous faites pas de souci. Ce que je fais m'amuse beaucoup. Reposez-vous bien et à lundi.

A la Tower Records, Sabra fut accueillie par Ron Smith, un dessinateur-illustrateur.

— Inutile de passer par mon bureau, dit-il, allons directement au studio ; tout est prêt, nous n'attendons plus que votre verdict.

En effet, sur la table à dessin, trônait la maquette définitive de la jaquette du prochain disque de Ted.

— Qu'en pensez-vous, Sabra ?

— A première vue, plutôt du bien. Mais laissez-moi souffler un peu.

En réalité, la photo de Ted, si réaliste, si vivante, lui avait sauté à la figure, l'assaillant de souvenirs.

Il était assis en tailleur par terre, au milieu de feuilles de musique éparses sur le sol, les cheveux légèrement en bataille, la chemise ouverte jusqu'au nombril, attentif à son travail, exactement comme elle l'avait laissé à Malibu.

Elle supportait si mal l'image de Ted qu'elle avait enlevé le grand poster punaisé en face de son bureau. Suzanne avait eu le bon goût de ne poser aucune question.

Malheureusement, face à Ron Smith, elle était obligée de regarder la maquette soumise à son jugement. Sa seule ressource était de simuler l'essoufflement, le temps de calmer les battements de son cœur et d'afficher un sourire satisfait.

— *Scattered Dreams*, c'est le titre que Ted a finalement choisi pour le disque ? demanda Sabra.

Naturellement elle était au courant mais il lui avait fallu trouver quelque chose à dire. Elle ne pouvait pas rester ainsi, muette devant le portrait, comme une admiratrice en mal d'amour !

— Vous avez choisi la photo où on le voit au milieu de partitions éparses, comme ses rêves du titre ? L'un explique l'autre, c'est cela ?

— Parfaitement. Personnellement, estima Ron Smith, j'aurais préféré que l'album porte le titre de la chanson susceptible d'avoir le plus de succès ou de celle qu'il préfère mais celle-là, nous ne l'avons pas encore. Comme la maquette ne pouvait pas attendre...

— Il y a encore une chanson à venir ? Laquelle ?

— Je ne sais pas, une nouvelle que je n'ai jamais entendue. Ted arrive demain pour l'enregistrer pendant le week-end.

— Mais je croyais que tout était en boîte sauf celle qui était à refaire pour des raisons techniques.

— Il a changé d'avis, il nous a dit d'attendre car il avait nettement mieux à nous offrir.

Pourquoi Ted n'avait-il pas prévenu au bureau de sa venue à New York ?

— Si Ted vient demain, reprit Sabra aussi calmement que possible, vous n'avez plus besoin de mon avis. Le sien suffira.

— Non. Il a insisté pour que vous nous donniez le feu vert.

— Votre projet me paraît parfait, vous pouvez y aller.

— Vous m'enlevez un grand poids, merci. On vous voit demain avec Ted ?

— Non, je pars ce soir pour Dallas où le devoir m'appelle. Il faut même que je me dépêche sinon je vais rater mon avion. Vous avez fait du bon travail, Ron, merci et à bientôt.

— Merci à vous. Amusez-vous bien à Dallas !

Le temps de trouver un taxi, de passer chez elle chercher sa valise, et en route pour l'aéroport où elle arriva à la dernière minute.

Barney l'attendait devant le guichet, apparemment nerveux.

— Enfin ! s'écria-t-il quand il la vit. Pour un peu vous auriez pris cet avion en vol ! Dépêchez-vous d'enregistrer votre valise.

— Excusez-moi, Barney. C'est une telle bousculade depuis que je suis revenue à New York ! Si j'en crois les dires de Suzanne, l'homme que nous allons voir à Dallas ne va pas non plus me laisser le temps de souffler. Un dur à cuire, si j'ai bien compris ?

— C'est le genre d'homme qui entend décider de tout. Si les choses ne vont pas comme il veut, il reprend ses billes et vous claque la porte au nez. Je suis certain que vous saurez le persuader d'être un peu plus conciliant.

— Espérons. Nous sommes en classe touriste, remarqua-t-elle avec étonnement.

— Oui. Je trouve stupide de gaspiller l'argent juste pour prouver que l'on en a.

— Du moment qu'on arrive à bon port, c'est l'essentiel.

— Vous n'avez pas peur, j'espère.

— Heureusement, non, parce que dans mon métier j'aurais souvent des problèmes.

— Effectivement.

Ils s'installèrent, bouclèrent leur ceinture et Barney poursuivit :

— Cette musique de film devait lui tenir diablement à cœur pour que Ted ait simulé un accident.

— Que voulez-vous insinuer ? protesta Sabra. Ce n'est pas...

— Ne vous fatiguez pas, ma jolie. Ted fait partie de mon écurie depuis quinze ans. Je le connais comme si j'étais son père. Je lui romprais volontiers le cou, avec tous les ennuis qu'il suscite. Mais c'est un bon client et je préfère le garder entier ! Simplement, il ne faudrait pas que ces caprices deviennent une habitude, sinon je serai obligé de faire appel à la loi.

— Moi je ne suis pas dans la confidence, en tout cas. J'exécute des ordres, c'est tout.

— Si vous préférez vous taire, c'est votre droit, mais vous ne direz pas que je ne vous ai pas prévenue.

Pour être sûre de ne pas se trahir, Sabra tourna la tête et regarda à travers le hublot.

Elle était fatiguée de tous ces mensonges ! Elle inventait des excuses pour Ted, elle se cachait la vérité à elle-même. Elle avait beau se répéter qu'elle n'était pas malheureuse loin de Ted, elle ne pensait qu'à lui.

Ironie du sort : demain, il serait à New York et elle à Dallas ! Leurs occupations se chargeaient de les séparer alors qu'elles étaient censées les rapprocher.

Quinze jours sans voir Ted! Sans son travail harassant, elle serait devenue folle. Pas une heure ne s'était écoulée, de jour comme de nuit, sans que son souvenir ne s'impose à elle. Chaque fois que le téléphone sonnait, son cœur battait à tout rompre. Ses rares coups de fil étaient passés sur la ligne de Suzanne. Ce simple détail l'avait blessée.

— Vous voulez boire quelque chose? demanda Barney.

— Merci, non.

Elle ferma les yeux et prétendit dormir. Elle n'avait aucune envie que Barney lui fasse la conversation. Pour une fois, elle avait un peu de temps pour penser à elle et à Ted.

Evidemment, depuis quinze jours, toutes ses nuits étaient peuplées du souvenir de Ted. Elle en éprouvait une atroce souffrance. Elle avait fini par prendre des somnifères qui lui donnaient un sommeil agité. Le matin, ses yeux étaient rouges et gonflés comme si elle avait trop pleuré.

Dans la journée, elle tenait le coup par miracle. Elle parvenait même à donner le change. Tout le monde s'émerveillait de son efficacité, de son calme imperturbable. Comment Suzanne ou les autres auraient-elles pu se rendre compte que les problèmes les plus inextricables la détournaient de son obsession?

Contre tout bon sens, elle était tombée amoureuse de Ted à la minute où elle l'avait vu. Depuis, elle était sa prisonnière. Et voilà qu'elle avait bêtement tout gâché en voulant brusquer les choses. Lui parler de mariage : ridicule! Partir en claquant la porte : puéril! De quoi se plaignait-elle au fond?

Elle avait été si tendue, si peu en confiance depuis sa conversation sur la plage avec Linda! Les confidences de l'ancienne épouse de Ted sur son incapacité à s'adapter à son style de vie l'avaient profondément troublée à un moment où elle nageait en pleine incertitude.

La visite de Melinda avait aggravé son malaise. Elle ne la craignait pas, non, elle l'enviait plutôt. Elle enviait leur amitié, leur liberté, leurs plaisanteries, leur bonne humeur quand ils étaient ensemble.

Allan non plus n'avait pas été étranger à la nervosité de Sabra. Elle détestait l'entendre dire qu'elle n'était qu'une des innombrables conquêtes de Ted. Elle refusait de le croire mais il insistait si lourdement que, même dans les bras de Ted, elle se posait de stupides questions.

Ted aussi était source de tension : qu'il l'admette ou non, il avait toutes les peines du monde à s'engager. Venait toujours le moment où il se retranchait dans sa coquille en attendant que disparaisse l'obstacle qui se dressait sur son chemin.

Linda lui avait-elle tellement répété qu'il n'était capable d'amour que pour sa musique qu'il avait fini par le croire ?

Sûrement, Sabra était un peu injuste avec lui, trop impatiente.

Si c'était à refaire, songeait-elle, je saurais mieux le comprendre, je ne commettrais pas les mêmes erreurs.

Quand Barney lui prit gentiment la main, elle sursauta.

— Que vous arrive-t-il, Sabra ? demanda-t-il, l'air sincèrement touché. Pourquoi froncez-vous si fort les sourcils ?

— Ce n'est rien, Barney, répondit-elle en se forçant à sourire. Juste un petit problème dont il faut que je sorte toute seule. Merci de votre sollicitude.

— Vous êtes sûre d'être en état d'affronter notre si aimable directeur de théâtre ? Je peux le voir seul si vous préférez.

— Certainement pas. Nous sommes dans la même galère. Nous gagnerons ou nous perdrons ensemble. Finalement, je boirais bien quelque chose.

Barney appela l'hôtesse qui leur apporta un gin-tonic et, durant le reste du vol, ils mirent au point leur rendez-vous du lendemain matin.

Malgré les apparences, pour Sabra, le cœur n'y était pas. Son cœur était, comme toujours, auprès de Ted.

Chapitre 8

— ALORS, COMMENT S'EST PASSÉ VOTRE RENDEZ-VOUS ? demanda Suzanne, le lundi matin, dès que Sabra mit les pieds au bureau.

— Très bien. Ce n'était pas difficile, en fait.

— J'ai du mal à vous croire. Ce Texan n'est pas du genre à ronronner à la première caresse.

— A la première, non ; mais à la troisième ou à la quatrième... plaisanta Sabra en venant s'asseoir sur le coin de la table de Suzanne. Au début il a été assez désagréable, mais il n'avait pas d'arguments insurmontables. Nous sommes allés chez lui, une superbe propriété, et nous avons eu droit à ses récriminations. Il a menacé d'annuler le concert de Ted, prétextant qu'il pouvait parfaitement le remplacer au pied levé.

— Il ne manque pas de toupet !

— Nous avons discuté, chiffres en main. D'habitude, les recettes de Ted pèsent lourd dans la balance, mais rien n'y faisait. Il fumait son cigare et s'entêtait. A bout d'arguments, je lui ai demandé ce que signifiait tout ce remue-ménage pour un simple changement de date. Les autres directeurs, bien que n'étant pas ravis de modifier leur calendrier, ont fait des efforts. Alors il a avoué la vérité.

— Dites vite, demanda Suzanne, les yeux brillants d'impatience.

— Sa chère nièce devait être à Dallas en même temps que Ted et il voulait la lui présenter. En nous décommandant nous gâchions tous ses projets personnels.

— Sa nièce ? Vous êtes sûre ?

— C'est ce qu'il a dit, en tout cas. Il nous a montré la photo d'une jeune fille blonde assez séduisante, de vingt-cinq ans environ.

— Je vois.

— Je lui ai fait remarquer que priver la ville de Dallas d'un concert de Ted Jeppeson simplement parce que sa nièce ne pourrait y assister me paraissait un peu excessif et dénué d'élégance. J'ai souligné que Ted remplirait la salle quelle que soit la date et que refuser de le recevoir, c'était se refuser de confortables bénéfices. Il s'est radouci et nous sommes parvenus à un accord : Ted commencera sa tournée par Dallas. J'espère seulement qu'il n'y verra pas d'inconvénient. Qu'en pensez-vous ?

— Il se moque éperdument de son itinéraire. Il se contente d'aller de ville en ville sans poser de questions.

— C'est bien ce que j'espérais.

A peine Sabra avait-elle fini son récit que le téléphone de Suzanne sonna.

— Allô. Ici le bureau de Ted Jeppeson. Oh ! C'est vous. Que puis-je pour vous ? Oui, je vous la passe. C'est Ted, précisa-t-elle en tendant le combiné. Il veut vous parler.

Sabra prit l'appareil d'une main tremblante.

Discrètement, Suzanne quitta la pièce.

— Bonjour, Sabra au bout du fil.

— J'aurais reconnu votre voix entre mille.

102

Celle de Ted était toujours aussi enjôleuse. Elle se mordit les lèvres avant de pouvoir enchaîner.

— Comment allez-vous ? Où en êtes-vous ?

— Je vais plutôt bien. Et vous, au bureau ?

— Très bien. Nous avons signé tous vos nouveaux engagements mais nous avons dû changer la date pour Dallas. Vous commencerez par là. Pas de problème ?

— Aucun. Alors, vous n'avez plus rien à faire ?

— Ce n'est pas exactement le terme qui convient, répondit Sabra avec hésitation.

— Je voudrais que vous reveniez ici.

— Pourquoi ? Vous avez des ennuis ?

— Pas du tout. J'ai terminé la musique du film.

— Déjà ?

Son rire joyeux la fit frissonner des pieds à la tête.

— Quelquefois, c'est magique, l'inspiration vient d'un coup ! Malheureusement pas toujours. Je suis assez content de ce que j'ai fait et Harris est enchanté. A partir de demain, on commence l'enregistrement qui risque de durer longtemps. Tant que je serai sur place, je surveillerai les opérations.

— C'est fantastique ! Vous serez prêt à reprendre votre tournée comme vous l'aviez prévu ?

— Exactement. Je voudrais que vous vous trouviez une place d'avion pour demain et que vous soyez ici mercredi.

— Mercredi ? reprit-elle, le cœur en déroute.

Elle l'imaginait assis sur la plage, la cigarette aux lèvres, contemplant l'océan.

— Je ne crois pas que je pourrai.

— Vous travaillez toujours pour moi ?

— Bien sûr.

— Alors, faites ce que je vous dis. J'ai besoin de vous mercredi, donc vous viendrez. Je veux voir avec vous quel sera mon itinéraire, préparer quelques communiqués de presse, fignoler les détails pour faire cette tournée l'esprit en paix.

— C'est pour ça que vous me payez, j'imagine.

— Je pensais vous voir à New York, hier ou avant-hier.

— J'étais à Dallas.

— C'est ce qu'on m'a dit.

Sabra attendit la suite. Elle l'entendit allumer une cigarette pour gagner du temps et trouver ses mots. Il avait autre chose à dire.

— Vous habiterez ici avec moi ? finit-il par demander.

— Non.

La promptitude de sa réponse la surprit mais elle ne fit pas machine arrière.

— Non, répéta-t-elle. Je vais me réserver une chambre et je prendrai l'avion demain soir.

— Il y a la chambre d'ami, vous savez.

— Je sais, mais je n'en veux pas, répliqua-t-elle le plus rapidement possible pour ne pas céder à la tentation.

— Je ne souhaite pas non plus que vous l'occupiez.

— Ted, je vous en prie.

— Bon, bon, je n'insiste pas. Mercredi matin, à l'entrée du studio à dix heures. Vous y serez ?

— Parfaitement. Au revoir.

Sabra raccrocha et resta plantée devant le téléphone, l'air hébété.

— Des ennuis ? demanda Suzanne qui revenait.

— Non. Il faut que je retourne en Californie demain.

— Je m'en doutais. Grâce à vous, tout va bien ici maintenant ; nous saurons nous passer de vous, ne vous en faites pas.

— Merci, Suzanne.

Elle aurait voulu manifester un peu plus d'entrain, mais rien à faire. En retournant à Malibu, elle saurait la vérité. Il n'était plus temps de faire l'autruche et de se cacher la tête dans le sable.

Elle rangea quelques papiers dans sa serviette et, sans se soucier de la curiosité qu'elle allait soulever, elle remit au mur le poster de Ted.

A sa vue, la tristesse lui mordit le cœur mais elle ne se laissa pas aller.

Par téléphone elle retint une place d'avion et une chambre dans l'un des meilleurs hôtels de Los Angeles avant de se remettre au travail.

Une fois de plus, elle se demanda comment elle en était arrivée à dépendre autant de Ted.

Un petit sourire triste affleura ses lèvres. Peu importait, après tout. Quoi qu'il arrive, jamais elle ne regretterait d'avoir écouté son cœur et d'être tombée dans ses bras. Elle y avait connu des instants de bonheur exceptionnels que personne au monde ne pourrait jamais lui ôter.

Adossé à un mur, un volumineux dossier sous le bras, Ted l'attendait à l'heure dite près du studio d'enregistrement. Avec son jean, son tee-shirt rouge et ses cheveux ébouriffés par le vent, il était plus séduisant que jamais.

Dès que Sabra l'aperçut, elle ne put retenir un sourire. Dieu, que c'était bon de le revoir!

En tournant la tête, il l'aperçut dans le soleil.

— Je suis content que vous soyez là! s'exclama-t-il.

Il déposa un tendre baiser sur sa joue.

— Comment allez-vous? Vous semblez un peu fatiguée?

— Le décalage horaire, probablement, affirma-t-elle pour cacher son trouble.

— Allons-y, on nous attend.

— Je suis en retard?

— Pas du tout, ils ont commencé plus tôt que prévu.

— Vous n'auriez pas dû m'attendre, j'aurais trouvé mon chemin toute seule.

— J'avais besoin de votre soutien, j'ai un peu le trac.

Aussitôt dans le studio, Ted la fit asseoir sur un haut tabouret non loin de l'orchestre, et il alla saluer le chef.

— Venez que je vous présente mon assistante, lui dit-il. J'ai pris la liberté de l'inviter. Elle ne vous dérange pas ?

— Pas du tout.

— Sabra, voici Vladimir Kolomahr, notre orchestrateur et chef. Sabra Reynolds, mon bras droit.

— Enchanté, dit Vladimir en lui baisant la main.

— Très honorée, monsieur Kolomahr, répondit-elle. Je n'espérais pas avoir la chance de rencontrer un homme aussi célèbre et aussi talentueux que vous.

— C'est à moi à m'incliner devant une si grande beauté. Je vous en prie, appelez-moi Vladimir.

— Avec plaisir.

Amusée par toutes ces politesses un peu désuètes, elle croisa le regard de Ted. Il la regardait avec fierté, flatté par les compliments de Vladimir.

— Sabra, dit-il, vous restez là bien sagement et, si j'ai besoin de vous, je vous appelle.

Elle se carra plus confortablement sur son perchoir, prête à affronter des heures d'enregistrement.

Elle avait l'habitude des studios depuis l'époque de Franz Lieberten. Ils se ressemblaient tous : un vaste hémicycle pour l'orchestre, une estrade pour le chef et derrière lui, généralement, la cabine des preneurs de son, séparée de la salle par une paroi vitrée. Ici cependant, il y avait quelque chose en plus : un énorme écran, face au chef.

— Dix secondes ? Pourquoi en couper autant ? entendit-elle Ted demander.

— Cinq avant, cinq après la chanson elle-même, répondit Vladimir. Nous devons coller à l'image.

— Mais ça ampute la mélodie.

— Mais non ; quand vous entendrez le résultat final, vous ne vous en apercevrez même pas.

Les deux hommes se penchèrent sur la partition et Vladimir fournit quelques explications que Sabra ne comprit pas.

De la cabine, un des techniciens lui fit signe de venir les rejoindre.

Elle interrogea Ted qui accepta d'un simple signe de tête.

— Nous avons eu pitié de vous, dit celui qui lui avait fait signe en lui ouvrant la porte. Vous êtes l'assistante de Ted Jeppeson ?

— Oui, et je me demande bien ce que je fais ici.

Ils étaient trois dans la cabine. Elle se présenta.

— Moi, dit l'homme aux cheveux blancs qui l'avait accueillie, je suis Bob. Voici Joe et Donny.

Ce dernier lui offrit aimablement une chaise.

— Jeppeson est un nouveau venu dans nos studios, reprit Bob. Il a sans doute envie d'apercevoir de temps à autre un visage ami pour chasser son trac.

— Surtout quand c'est un joli minois comme le vôtre, dit Donny. Vous travaillez avec lui depuis longtemps ?

— Non, pas très.

— Il sait que vous êtes avec nous ?

— Oui, je l'ai prévenu.

Brusquement la voix de Vladimir résonna dans la cabine.

— Messieurs, au moins une répétition avant l'enregistrement. Dès que je suis prêt, je vous le dis.

Les trois hommes sortirent leurs cigarettes.

— « Dépêchez-vous et soyez patients ! » Voilà en deux mots l'histoire de notre vie, grommela Joe.

— Mettez-vous à l'aise, Sabra, ajouta Bob, il peut s'écouler des heures avant que l'ami Vladimir ne soit prêt à mettre quelque chose sur la bobine.

La répétition commença. Toutes les trois minutes,

ou moins peut-être, Vladimir l'arrêtait, faisait reprendre, une fois, deux fois, puis repartait.

Les techniciens s'ennuyaient ferme mais pas Sabra. Elle était aussi fascinée par le travail de Vladimir que par la musique de Ted. Il avait vraiment fait des merveilles ! Par moments on avait l'impression d'être au pied des chutes du Niagara : une sorte de sourd bruit d'eau accompagnait la mélodie ; à d'autres, c'était l'intimité, la solitude, la réflexion. Certains passages étaient franchement gais, humoristiques même.

— Quel talent ! laissa échapper Sabra, tout étonnée d'entendre son admiration passer ses lèvres.

— Sûr ! approuva Bob, votre patron connaît son affaire. Tiens, on dirait que Vladimir est prêt. A vos ordres, chef, ajouta-t-il après avoir ouvert un micro.

L'écran s'éclaira. Le sigle de la société productrice apparut, aussitôt suivi du générique. Au premier nom, Vladimir leva le bras et l'orchestre démarra.

Le synchronisme de l'image et du son, la qualité des musiciens, la précision de Vladimir, tout émerveillait Sabra. Quand apparut la mention : « Musique et chansons de Ted Jeppeson », sa joie n'eut plus de bornes.

Lui aussi semblait ravi. Un bref instant leurs regards se croisèrent et ils se sourirent comme s'ils étaient seuls, loin de tout. Moment de communion, de complicité parfaite, hélas, infiniment trop court !

Au fil des heures, l'intérêt de Sabra s'émoussa. Vladimir avançait à tous petits pas ; il s'arrêtait, reprenait, répétait, enregistrait et ainsi indéfiniment.

La musique ainsi hachée ne parvenait plus à captiver l'attention, pas plus que les images muettes qui défilaient sur l'écran.

On ne passait à vitesse normale que les scènes soulignées par un fond sonore ou bien celles où la musique avait tout à coup la vedette. Toutes les autres séquences étaient projetées en accéléré. Pour Sabra qui connaissait à peine l'histoire, ce salmigondis n'avait guère de sens.

Finalement Vladimir remercia les musiciens et les techniciens.

— C'est assez pour aujourd'hui. Demain, même lieu, même heure. Bravo à tous, vous avez été parfaits.

A son tour Sabra remercia les preneurs de son de leur accueil.

— J'ai été ravie de vous connaître et de voir comment une musique passe du papier à la pellicule.

— Nous n'en sommes pas là. Pour l'instant c'est seulement une bande sonore. Le mixage viendra plus tard, précisa Bob. Aurons-nous le plaisir de vous revoir demain ?

— Je ne sais pas. Merci encore.

Elle alla rejoindre Ted qui discutait avec Vladimir.

— Vous vous y retrouvez un peu ou vous êtes complètement perdue ? lui demanda le chef.

— Je ne suis pas certaine d'avoir bien suivi mais j'étais tout de même très intéressée. Je plains surtout vos musiciens, ce genre de séances doit être mortel pour eux.

— Ils ont l'habitude. Quand nous avons une bonne musique, nous ne nous ennuyons jamais. Cette fois, ajouta-t-il à l'adresse de Ted, nous sommes comblés, vous avez vraiment fait du bon travail.

— Merci, Vladimir. Venant de vous c'est un grand compliment. Vous êtes prête, Sabra ? On y va ?

— Quand vous voulez.

Trente secondes plus tard, ils étaient dehors. Il faisait déjà presque nuit.

— Que penseriez-vous d'un bon dîner ?

— Plutôt du bien. Mes toasts du matin sont loin !

— Vladimir est encore pire que moi quand il travaille. Moi, je ne saute jamais un repas. Dépêchons-nous, ma voiture n'est pas loin. Je vous propose un restaurant sans façon, reprit-il quand ils furent dans la Porsche.

— Parfait. Je ne suis pas en tenue pour un endroit mondain et en plus je suis morte de fatigue.

— Pauvre amie ! Avez-vous tout de même écouté ma musique ? Comment la trouvez-vous ?

— Elle est merveilleuse. Vous pouvez être fier de vous !

— Enfin un vieux rêve devient réalité ! Je crois que Vladimir l'aime bien, lui aussi.

— Je le crois.

— Vous n'avez rien contre la cuisine mexicaine ?

— Non, au contraire.

— Tant mieux ! dit-il en se garant dans une ruelle assez mal éclairée.

Le restaurant où Ted emmena Sabra était assez petit et bondé. Apparemment, il y avait toujours une table pour une célébrité comme lui.

La propriétaire les y conduisit avec un charmant sourire. Plusieurs clients reconnurent Ted au passage mais, comme il essayait de passer inaperçu, personne ne l'importuna.

Les grosses nappes brodées au point de croix, les bougies fichées dans des pichets de terre cuite à goulot étroit, les trois musiciens mexicains, sombrero sur la tête, et les odeurs d'épices qui flottaient dans l'air conféraient à ce lieu un petit air provincial et exotique à la fois, tout à fait séduisant.

Sabra commanda des *enchiladas* au fromage — fines omelettes aux légumes et au fromage frais —, des haricots rouges et du riz au piment. Après mûre réflexion, Ted l'imita. Un pichet de vin rouge glacé compléta le menu.

— On est bien ici, fit remarquer Sabra. Vous y venez souvent ?

— Quand je suis en ville, oui. Mais d'habitude je suis moins affamé et surtout moins épuisé.

— Combien de temps vont durer les enregistrements ?

— En général, Vladimir travaille assez vite, contrairement à ce que vous pourriez croire. Une semaine, dix jours tout au plus. Pourquoi ?

— En principe, vous aurez donc fini avant que vous ne partiez en tournée.

— Encore cette tournée !

— Pourquoi ce soupir ? Vous n'allez pas annuler ?

— Bien sûr que non, mais j'espère bien que ce sera la dernière. J'aimerais m'en tenir à quelques concerts de gala, tout à fait exceptionnels, chaque année.

— Ne me dites pas que vous allez vous retirer. Décidément, j'ai bien du mal à conserver mes employeurs.

— Il n'est pas question d'abandonner. Simplement j'élargis mon horizon et je change légèrement de cap.

— Vous pensez que vous aurez d'autres offres pour des musiques de films ?

— Il n'est pas défendu d'espérer.

Dès qu'ils furent servis, ils mangèrent de bon appétit. Ils étaient tous les deux morts de faim et ils ne laissèrent pas leurs *enchiladas* refroidir.

— Hum, dit Ted en se frottant l'estomac, tout était délicieux ! Le vin m'a semblé particulièrement bouqueté. C'est vrai ou avais-je seulement très soif ?

— Non, c'est parfaitement exact. Tout à fait ce qu'il me fallait. Quel est le programme pour demain ?

— A peu près la même chose qu'aujourd'hui.

— Vous avez vraiment besoin de moi au studio ?

— Pourquoi, vous avez d'autres projets ?

— Pas vraiment, mais je pourrais travailler un peu. J'ai encore beaucoup de détails à régler et une montagne de courrier qui attend.

— D'accord, mais demain soir il y a une réception à laquelle je voudrais que vous m'accompagniez.

— Chez qui ?

— Chez Harris. Il veut fêter le dernier tour de manivelle de *Vacancies*.

— Mais le film n'est pas terminé.

— Le film, non, mais le tournage oui.

— La soirée est à Las Vegas ?

— Non, à Beverly Hills.

— Il possède autant de maisons que vous, votre ami Harris.

— Beaucoup plus. Elles ont toutes une justification professionnelle qui lui évite des impôts, ma chère !

Sabra souhaitait très fort que ce dernier mot ne soit pas seulement une manière de parler ! Pouvait-elle encore espérer les entendre un jour, chargés de tout leur sens ?

— Je suis désolée de vous bousculer, dit-elle, mais si vous ne voulez pas que je m'endorme ici, mieux vaudrait partir.

Aussitôt Ted se leva, paya son addition à la caisse près de la sortie et ramena Sabra en voiture à son hôtel.

En chemin, elle s'endormit. Quand ils arrivèrent à destination, Ted l'embrassa dans le cou ; elle sursauta.

— Nous y sommes ? Je vous avais prévenu que je ne tenais plus debout.

— Vous êtes si belle quand vous dormez. J'adore vous regarder. Vos lèvres semblent attendre les miennes.

Il joignit le geste à la parole et se pencha pour l'embrasser.

Bien que bouleversée, Sabra se dégagea.

— Je voudrais aller me reposer, dit-elle d'une voix tremblante.

— Vos désirs sont des ordres, répliqua-t-il avec une déférence moqueuse avant de sortir précipitamment de voiture.

Il traversa le hall de l'hôtel à son bras et l'accompagna jusqu'à sa chambre dont il ouvrit la porte.

— Vous ne m'invitez pas, j'imagine.

Le regard qu'ils échangèrent dura le temps d'un éclair. Sabra comprit qu'il la désirait passionnément et qu'il lui lançait un défi.

— Non, répondit-elle aussi calmement que possible. Je suis fatiguée.

— Je respecte votre décision mais je sais que votre désir est aussi grand que le mien. Je vous ai avoué mes sentiments à votre égard, à vous de jouer. Quand vous serez décidée, dites-le. Bonsoir.

— Oh ! Ted, appela-t-elle quand il était déjà au bout du couloir, vous ne m'avez pas dit à quelle heure est cette réception, demain soir.

Il ne prit pas la peine de se retourner pour répondre.

— Je viendrai vous chercher à huit heures et demie. C'est une soirée habillée.

Sabra referma sa porte, traversa en chancelant sa chambre et, sans allumer, se jeta sur son lit, hantée par ce qu'elle avait lu dans son regard vert quand il lui avait lancé son ultimatum.

Mais bientôt la nature s'imposa. Elle était épuisée. Elle s'endormit.

Chapitre 9

LORSQUE, VÊTUE D'UN SIMPLE FOURREAU DE SOIE NOIRE, Sabra fit son entrée chez Harris au bras de Ted, les salons et les jardins, illuminés comme pour un bal royal, étaient déjà envahis par les invités.

Une typique soirée hollywoodienne : beaucoup de monde, d'innombrables célébrités du spectacle, des toilettes de rêve, des bijoux des *Mille et Une Nuits*, un buffet pantagruélique, de l'alcool à flots, deux orchestres — un à l'intérieur, l'autre près de la piscine.

Son verre à la main, Sabra allait et venait, souriant à la ronde, reconnaissant ici et là des vedettes, saisissant au passage des bribes de conversations.

Ted bavardait avec une chanteuse de l'orchestre, lorsque Melinda Taylor s'approcha. Elle le prit par la taille et l'embrassa dans le cou. Il se retourna, son visage s'illumina et il baisa délicatement les lèvres qu'elle lui tendait.

Instinctivement, les doigts de Sabra se crispèrent sur son verre.

Melinda portait une ample jupe longue de taffetas rouge et un corselet de soie bleu nuit qui ne dissimulait pas grand-chose de son anatomie. Quelques fleurs piquées dans ses boucles brunes lui donnaient un petit rien d'exotique tout à fait séduisant.

A côté d'elle, Sabra avait l'impression d'être une pauvre orpheline endimanchée, propulsée malgré elle dans un lieu où elle n'avait que faire !

Heureusement, Linda vint lui remonter un peu le moral.

— Comme je suis contente de vous voir ! s'écria Sabra quand la jeune femme s'approcha.

— Où est Ted ? demanda Linda.

— Je ne sais pas. Il y a cinq minutes, il était avec les musiciens.

— Ah ! Le voilà, dit Linda après l'avoir cherché des yeux, il danse avec Mellie.

Il était même l'attraction du moment. Melinda était probablement une bonne danseuse mais pas aussi experte que Ted. Tout le monde s'écartait pour le laisser évoluer et sa partenaire faisait de louables efforts pour le suivre. Il tournait, virait avec beaucoup d'aisance, faisant virevolter sa cavalière au bout de son bras.

— Attention à votre dos ! cria quelqu'un, après une pirouette spectaculaire.

Ted s'arrêta net. Linda se tourna du côté où était venue la voix. Allan le regardait légèrement vacillant, le sourire aux lèvres.

Linda, l'air coupable, se raidit.

— Ne vous tracassez pas, lui dit Sabra gentiment, il n'a que ce qu'il mérite. Quand on prétend souffrir du dos, on ne se donne pas en spectacle sur une piste de danse.

— Allan a trop bu, répondit tristement Linda. Cela lui arrive souvent depuis quelque temps.

116

— Allons prendre l'air, proposa Sabra qui ne voulait pas s'étendre sur ce sujet.

— Oui, j'en ai bien besoin. Melinda et Ted se connaissent depuis des années, ajouta Linda en les voyant rire près du bar. Il a toujours prétendu qu'elle n'était qu'une amie mais j'en doute. De temps à autre, ils partagent autre chose qu'une simple amitié, il suffit de les voir en ce moment.

Frappée en plein cœur, Sabra faillit s'effondrer. Comment Linda pouvait-elle aussi calmement lui dire une chose pareille ?

Elle devait supposer que tout était fini entre elle et lui. Ted, lui-même, avait pu lui annoncer la nouvelle. Néanmoins, elle ne mordit pas à l'hameçon.

— C'est une très belle femme, dit-elle simplement.

— Incontestablement. A-t-il beaucoup écrit ces derniers temps ?

— Oui, il a terminé sa musique de film. Nous allons pouvoir songer à repartir en tournée.

— Pas de chansons ?

— Si, mais je ne les ai pas entendues.

— N'espérez pas qu'il compose quoi que ce soit pour vous. Il ne m'a jamais rien dédié. Les femmes qu'il connaît ne l'inspirent pas. Il préfère s'en inventer, c'est moins compromettant.

— Je n'ai jamais imaginé qu'il écrirait pour moi ! protesta Sabra avec véhémence.

— Bravo ! Si vous n'attendez rien de lui, vous ne souffrirez pas, parce qu'il ne donne pas grand-chose. Il prend, encore et toujours, c'est tout !

Sabra n'eut pas le temps de contre-attaquer. Le rire enivré d'Allan interrompit leur conversation.

— Il est temps que je ramène Allan à la maison, dit Linda. Ravie de vous avoir revue, Sabra. Quand Ted vous laissera tomber, appelez-moi ; je suis passée par là, je pourrai vous aider.

117

Horrifiée, Sabra la regarda s'éloigner. Ainsi, il n'y avait aucun espoir ? Ted était un homme inconstant et leur rupture devait se produire tôt ou tard. Elle haussa les épaules en signe d'impuissance. Mais elle se ressaisit. Pourquoi ne réussirait-elle pas où Linda avait échoué ?

— Une aussi jolie femme ne devrait pas rester seule, déclara Harris en prenant Sabra par la taille. Permettez-moi de vous tenir compagnie, ajouta-t-il avec un sourire de séducteur éprouvé. La soirée vous plaît ?

— Votre maison et votre jardin sont superbes.

— Je voulais absolument vous avoir ici ce soir. Je l'ai dit à Ted.

— Vraiment ? Vous êtes trop aimable, répliqua-t-elle presque sèchement.

— Vous perdez votre temps avec Ted, Sabra.

— Que voulez-vous dire ?

— En travaillant pour lui. Une femme de votre envergure pourrait faire infiniment mieux. Dans notre industrie, on a besoin de gens comme vous. Je suis sûr, par exemple, que vous n'auriez pas votre pareille pour découvrir de nouvelles vedettes.

— J'en doute. Je suis faite pour aplanir les difficultés des célébrités, pas pour les faire sortir de l'anonymat.

— Qu'en savez-vous ? Vos yeux me disent que vous avez quantité de talents cachés.

— Ne seriez-vous pas en train de me faire des avances ?

— Et si tel était le cas ?

— C'est vous qui perdez votre temps. On ne saurait trouver le chemin de mon cœur en m'abreuvant de compliments ou en m'offrant du travail.

— Par où passe-t-il, alors, ce chemin ? Guidez-moi.

— Vous ne le saurez jamais, surtout s'il vous faut des conseils. Excusez-moi.

118

Avec beaucoup de grâce, elle lui sourit et le planta là. Elle était assez contente de la manière dont elle avait découragé Harris.

A son retour dans le salon, elle chercha Ted. De nouveau il dansait avec Melinda, cette fois plus calmement, en la tenant serrée contre lui.

A croire qu'il faisait tout pour provoquer Sabra. Non seulement il s'affichait avec Melinda mais devant quel public !

Sabra n'était pas femme à se laisser faire. La colère lui donnait des ailes.

Aux dernières notes du slow, Ted embrassa amoureusement sa partenaire.

Le moment était venu pour Sabra de montrer de quoi elle était capable. Ou bien elle flirtait ouvertement avec Harris pour rendre à Ted la monnaie de sa pièce, ou bien elle s'interposait franchement entre lui et Melinda. Harris l'attirait si peu qu'elle opta pour la deuxième solution et s'approcha des danseurs avec un sourire mielleux.

— Vous formez un couple exceptionnel, susurra-t-elle. Si j'étais journaliste, je m'empresserais d'affirmer que vous êtes mûrs pour l'autel.

— L'autel ! répéta Melinda horrifiée. Vous n'y pensez pas ! Mieux vaut que je m'éloigne avant qu'une idée aussi folle ne germe dans d'autres cervelles. Je vous le laisse, ma chère Sabra. Il est tout à vous !

Là-dessus elle se choisit un autre cavalier.

— Vous prévoyez un second acte à cette petite comédie ? demanda Sabra à Ted qui n'avait pas bronché, ou bien est-ce fini ?

— Les plaisanteries les plus courtes étant les meilleures, c'est terminé.

— Vous m'en voyez satisfaite car je n'appréciais pas ce scénario.

— Vraiment ? Vous seriez pourtant une parfaite comédienne.

— Pas du tout, je ne suis convaincante que dans la réalité.

Il l'observa sans répondre, s'attarda sur ses lèvres, se perdit un moment dans son regard.

— Dansons, dit-il.

Sans attendre son assentiment, il l'enlaça et l'entraîna sur la piste.

Elle était blottie contre son épaule et se laissait bercer par la musique mais il l'obligea à relever la tête et à le regarder.

De ses beaux yeux verts, Ted la dévorait littéralement comme s'il voulait rattraper le temps perdu, réapprendre chacun de ses traits, se repaître de ce doux visage aux sourcils bien arqués, au nez mutin, à la bouche pulpeuse.

Sabra le sentit frissonner. Il s'empara de ses lèvres avec fougue et volupté tout à la fois.

— Vous avez gagné, sorcière ! dit-il dans un souffle. Vous avez pris votre livre de chair et vous m'avez laissé tout sanguinolent. Vous êtes contente ?

— De quoi parlez-vous ?

— De votre fuite. Vous savez pourquoi j'ai fini si rapidement la musique pour *Vacancies ?* Parce que je devenais fou. Après votre départ, c'est tout ce qui me restait.

— C'est aussi tout ce que vous aviez avant que je m'en aille.

— Vous croyez vraiment ce que vous dites ? Mais, ma parole, vous êtes aveugle ! Aveugle et sourde !

— Désolée de n'avoir pas autant de subtilité que vous. Je n'ai compris qu'une chose : vous me vouliez c'est certain, mais uniquement lorsque le moment vous convenait.

— C'est faux et injuste. Allons-nous-en, je voudrais vous parler sans témoins.

Ils ne desserrèrent plus les dents jusqu'à ce qu'ils soient revenus à l'hôtel, dans sa chambre. Débarrassé de sa veste de smoking et de son nœud papillon, Ted se détendit enfin.

— Asseyez-vous, mettez-vous à votre aise, dit-elle d'un ton caustique.

— Merci. Venez près de moi.

— Pas question. Vous vouliez parler ? Allez-y !

— Dire qu'il y a tant de femmes qui voudraient m'entendre les appeler et vous, vous voulez que je parle !

— Ces femmes ne savent pas à quel point vous pouvez être exaspérant, sinon elles réfléchiraient à deux fois avant de souhaiter être près de vous.

— Quelle audace ! Vous vous croyez la perfection faite femme, naturellement.

— Certainement pas, mais je n'ai pas peur de mes sentiments, ni de les avouer franchement.

— Quand vous ai-je menti, Sabra ? Citez-moi un seul exemple, si vous pouvez.

— Vous ne me mentez pas, à proprement parler, vous évitez soigneusement de penser aux conséquences de vos actes.

— Quelles conséquences ? Je vous ai demandé de vivre avec moi, je vous ai fait de la place dans ma vie.

— Pas assez, l'interrompit Sabra qui vit la rage enflammer le regard de Ted.

— Que vous faut-il de plus, Sabra ? Toute ma vie ? Alors, n'y pensez plus.

L'arrivée du maître d'hôtel apportant le vin dispensa Sabra de répondre immédiatement.

Tandis que l'employé, sentant la tension qui régnait entre ses clients, s'éclipsait sans même un regard pour le pourboire donné par Ted, celui-ci remplissait les verres et vidait le sien d'un trait.

— Le vin se boit plutôt à petites gorgées, vous savez, murmura Sabra avec une certaine ironie.

— Je n'ai pas besoin de vos conseils, répliqua

Ted, j'étais déjà un amateur de vin quand vous étiez encore au berceau.

Le plus calmement du monde elle s'assit sur une chaise et regarda Ted s'agiter comme un beau diable. Il se levait, marchait de long en large et se rasseyait sur le lit pour se relever aussitôt.

La colère et le désir l'étouffaient. Autant que Sabra, il avait souffert de leur séparation.

Avant de lui tomber dans les bras et de s'abandonner à ses caresses, Sabra voulait régler leur différend sans attendre qu'il soit trop tard, qu'elle n'en ait plus la force. Après quelques heures ou quelques jours de bonheur tous ses doutes resurgiraient.

— Comment s'est passée la séance d'enregistrement aujourd'hui ? demanda-t-elle au bout d'un moment.

— Je n'ai pas du tout envie d'en parler et vous n'avez pas envie de m'entendre.

D'un geste rageur, il déboutonna sa chemise qu'il arracha de son pantalon.

Sabra faillit se lever et se jeter dans ses bras. Il y avait si longtemps, trop longtemps, qu'elle ne l'avait pas touché, caressé, qu'elle n'avait pas senti sa chaleur !

Elle se retint courageusement et, pour se donner une contenance, avala quelques gorgées de vin.

— C'est difficile de vivre avec moi, je sais, commença Ted avec un soupir. Je suis lunatique et, quand je travaille, j'oublie tout le reste. Cela ne veut pas dire que je ne souhaite pas vous avoir avec moi. Vous êtes partie trop tôt pour que nous sachions si nous pouvions nous entendre. Fuir n'est jamais une solution.

— Je n'ai pas fui.

— Si.

— Disons que c'est en partie vrai. Il y avait vraiment du travail qui m'attendait à New York.

— Je voudrais que vous reveniez pour essayer encore de vivre ensemble. Vous, le voulez-vous ?

D'un sourire, elle le remercia de se préoccuper de ses propres souhaits. Puis, gênée par l'intensité de son regard, elle baissa les yeux et répondit :

— Je veux d'abord que vous preniez notre histoire au sérieux. Ensuite, j'aimerais que vous ayez confiance en moi. Bizarrement, vous êtes convaincu que vous ne pouvez établir aucune relation durable avec une femme. Vous vous attendez toujours qu'on vous quitte. Si vous voulez que je revienne, je reviendrai mais je me battrai pour rester. Vous ne réussirez pas à me décourager avec vos sautes d'humeur et vos réflexions désagréables.

— Vous voulez vous battre pour moi ?

La surprise de Ted était manifeste et sa satisfaction également.

— Personne ne m'avait encore jamais dit une chose pareille !

— C'est peut-être là que réside tout votre problème, murmura Sabra.

Ted ferma les yeux comme s'il réfléchissait profondément puis, tout à coup, il se leva, brandissant son verre.

— A nous, ma chérie !

Sans hésiter, le sourire aux lèvres, elle accepta son toast et trinqua.

Leurs regards se croisèrent ; ils burent sans se quitter des yeux, pour sceller leur accord.

— Je suis à vous, murmura Ted avant de l'enlacer.

Enfin elle retrouvait ces bras qui lui avaient tant manqué pendant deux semaines ! Enfin, elle était à sa vraie place !

Mais quelle ne fut pas sa stupeur de l'entendre dire :

— Je voudrais que vos jolies mains me déshabillent.

Sabra crut à une plaisanterie mais elle dut bientôt se rendre à l'évidence : il était tout à fait sérieux.

Timidement d'abord, puis finalement avec un plaisir grandissant, elle obéit. Elle prenait tout son temps et le caressait au fur et à mesure qu'elle le dénudait.

Quand ils se retrouvèrent sur le lit, Ted fit rapidement glisser la robe de Sabra à ses pieds.

Ted était plus enflammé que jamais ; Sabra avait oublié à quel point ses caresses, tantôt délicates, tantôt insistantes et audacieuses, l'enivraient et lui faisaient perdre la tête.

Gémissante de bonheur, se livrant à un vertige qu'elle n'avait jamais éprouvé jusqu'alors, elle retrouva les joies de l'accomplissement total. Epuisés de caresses et d'étreintes passionnées, ils se retrouvèrent dans l'extase partagée, s'abandonnant à leur plaisir qui explosa en eux comme un milliard d'étincelles.

— Oh ! Sabra, murmura Ted quand les battements de son cœur furent apaisés, vous m'étiez destinée de toute éternité. Le sentez-vous ?

— Oui, répondit-elle, serrée tout contre lui. Ne me laissez pas maintenant.

Ted n'aimait pas qu'elle lui dicte sa conduite mais cette fois il ne protesta pas. Il la garda dans ses bras, l'embrassa dans le cou et se cacha le visage dans ses cheveux, marmonnant des paroles enfiévrées qu'elle ne comprit pas très clairement.

— Je vous aime, murmura-t-elle en retour, avant de sombrer dans un sommeil peuplé des rêves les plus enchanteurs.

Chapitre 10

A MALIBU, SABRA ÉTAIT CHEZ ELLE, MAINTENANT. ELLE allait et venait dans la maison. La sobriété de l'aménagement lui apparaissait sous un jour tout nouveau, infiniment plus attachant.

Le lendemain de ses vraies retrouvailles avec Ted, ils étaient revenus ensemble et, depuis, leur emploi du temps avait été le même chaque jour.

Ted se levait de bonne heure, prenait son petit déjeuner avec elle puis partait pour le studio où se poursuivait l'enregistrement de sa musique de film.

Sabra travaillait ; elle mettait la dernière main à la préparation de la tournée, téléphonait à Suzanne ou à Barney. Ensuite elle répondait au courrier, envoyait des photos dédicacées à tous les admirateurs de Ted, collectionneurs d'autographes et de portraits. Enfin elle vérifiait que dans chaque ville où il irait il y aurait bien la chambre d'hôtel ou l'habilleuse auxquelles il était habitué.

Elle faisait un peu de ménage, rangeait leur chambre, commandait ce dont elle avait besoin pour la cuisine et, dans l'après-midi, quand tout était en ordre, elle allait longuement se promener sur la plage ou se rôtir au soleil.

Le soir Ted rentrait, hélas, souvent un peu tard. Ils dînaient aux chandelles et après un tour sur la plage ils rentraient se coucher.

Un matin, Sabra venait de finir son ménage quand on sonna. Elle alla ouvrir et quelle ne fut pas sa surprise de se trouver nez à nez avec Harris Ashton, vêtu, comme un mannequin, d'un impeccable costume blanc et d'une chemise rose, un œillet à la boutonnière.

— Vous venez voir Ted ? demanda-t-elle. Vous savez bien qu'il n'est pas là puisqu'il travaille pour vous à Hollywood.

— Je sais.

— Alors, que voulez-vous ?

— J'ai pensé que vous deviez trouver le temps long et je suis venu vous faire une petite visite. Auriez-vous la bonté de m'offrir un verre ?

— Bien sûr ! Avez-vous une préférence ?

— Un whisky-soda, si vous avez.

— Nous ne sommes pas très riches en alcools mais nous avons au moins du whisky.

Elle lui servit son verre et s'ouvrit une boîte de jus de tomate.

— Vous n'ajoutez ni vodka ni gin ? Ce n'est pas un peu triste ?

— Pour moi, pas d'alcool à cette heure-ci. C'est trop tôt.

— Il n'est jamais trop tôt, croyez-en ma vieille expérience. Ni jamais trop tard, non plus.

— Ted sait que vous êtes ici ?

— Pourquoi ? Seriez-vous sa propriété privée ? Ai-je besoin de sa permission pour vous voir ?

Il déboutonna sa veste et s'installa confortablement dans son fauteuil.

Sabra ignora sa question et attendit la réponse à la sienne.

— Il y a quelques jours je lui ai dit que je passerais probablement.

— Pour me voir moi ? Ou lui ? Ou nous deux ensemble ?

— Peu importe. Ted ne se formalisera pas de me savoir seul ici avec vous.

— En êtes-vous sûr ?

— Certain. Vous n'êtes pas la première de ses assistantes à avoir des relations intimes avec lui. Elles ont été légion. La marée les apporte, la suivante les remporte.

Le rire de Sabra éclata spontanément et elle répondit sans se démonter :

— Joli début, mais vous ne m'intéressez pas. Je n'ai pas besoin de vous pour savoir ce que pense Ted.

— En fait, reprit Harris après une pause et une gorgée de whisky, je suis venu vous embaucher.

— Pas possible ! s'exclama-t-elle sur un ton moqueur.

— Il y a un poste vacant aux relations publiques pour lequel vous paraissez toute désignée. Je vous paierai au moins aussi bien que Ted.

— Vous êtes trop aimable, mais je ne peux pas accepter.

— Réfléchissez avant de refuser, Sabra. Un brillant avenir vous attend dans ma société. Tandis qu'ici... Si docile et soumise que vous soyez aux caprices de Ted, un jour ou l'autre il se fatiguera de vous !

Folle de rage, Sabra lui montra la porte.

— Sortez !

— De quel droit me chassez-vous ?

— Parce que je suis chez moi ici, malgré vos insinuations. Allez-vous-en !

— Insolente ! grommela-t-il, les dents serrées. Vous déchanterez quand Ted vous mettra dehors.

— Pour la dernière fois, sortez !

Une petite voix hésitante détourna tout à coup leur attention. Linda frappait à la porte.

— Sabra, je peux vous voir un moment ? Bonjour, Harris.

Il se leva comme si de rien n'était, reboutonna sa veste et dit :

— Ravi de vous rencontrer, Linda ; malheureusement j'allais m'en aller. Au revoir Sabra.

Elle ne prit pas la peine de le raccompagner. A voir la tristesse et les yeux cernés de Linda, Sabra comprit qu'il s'était passé quelque chose.

— Vous voulez de l'eau ? Du jus de fruits ?

— Un jus de fruits, s'il vous plaît.

— Comment va le bébé ?

— Bien, je suppose.

— Allons, racontez-moi, vous pouvez vous confier à moi.

— Allan et moi nous nous sommes séparés.

— Ce n'est pas possible ! Quand est-ce arrivé ?

— Hier ; je lui ai demandé de s'en aller. Je ne veux pas le revoir tant qu'il continuera à boire.

— A boire ?

— Oui, à boire. Il a dépassé les limites du supportable. Il doit consulter un médecin.

— Oh ! Linda, je n'imaginais pas une seconde...

— Nous l'avons caché aussi longtemps que nous avons pu mais maintenant ce n'est plus possible. Il doit se faire soigner avant la naissance de notre enfant. C'est comme une maladie, il ne peut pas s'en empêcher.

Les larmes ruisselaient sur le visage de Linda et de terribles sanglots la secouaient.

— Calmez-vous, lui dit Sabra en la prenant dans ses bras. Tout s'arrangera. Il vous aime, il vous reviendra guéri. Vous devez seulement vous montrer forte, pour le bébé. Vous avez agi sagement en le renvoyant, en le mettant devant ses responsabilités. S'il veut vivre avec sa femme et son enfant, il faut qu'il cesse ses bêtises.

— Dire que je me suis mariée avec lui parce que je le croyais solide comme un roc ! La vie a de ces ironies !

— Vous ne pouviez pas prévoir...

— Oh ! Si ! Je savais qu'il buvait plus que de raison, mais je croyais pouvoir l'en sortir toute seule. J'ai agi comme avec Ted.

— Ted n'a pas ce genre de problèmes.

— Non, lui c'est son incapacité à s'attacher. Il est uniquement préoccupé de lui. Il ne peut se fixer nulle part. Quittez-le maintenant avant qu'il ne vous laisse tomber !

— Je ne peux pas, je l'aime, répondit doucement Sabra en s'éloignant de Linda. Il a beaucoup changé, il m'aime lui aussi.

— Il vous l'a dit ? Bien sûr que non, il ne le dira jamais ! Il vous a sous la main et c'est bien commode, une épaule accueillante !

— Assez, taisez-vous. Je sais que vous êtes bouleversée mais ce n'est pas une raison pour dire n'importe quoi.

Linda sécha ses larmes et reprit :

— Ouvrez les yeux, Sabra. Je connais Ted, je suis même la seule à le connaître. Il ne peut pas se fixer, absolument pas.

L'insistance avec laquelle Linda avait prononcé ces derniers mots troubla infiniment Sabra. Mais elle n'eut pas le temps de mettre de l'ordre dans ses idées.

— Je me sens mieux, je vais m'en aller, disait Linda. Je voulais seulement vous prévenir de ce qui se passait avec Allan. Vous l'expliquerez à Ted, n'est-ce pas ?

— Oui, répondit Sabra en la raccompagnant à la porte. Surtout, prenez soin de vous. Revenez quand vous voulez. A bientôt.

Sabra retourna au salon et se laissa tomber sur le canapé. A son goût la journée était un peu trop fertile en événements. D'abord Harris, ensuite Linda. Que lui réservaient les heures à venir ?

Elle sursauta quand la sonnette retentit une nouvelle fois et elle fut tentée de ne pas répondre.

— Oh ! Melinda ! murmura-t-elle en apercevant sa visiteuse.

— Bonjour ! Que se passe-t-il, je vous dérange ?

— Non, pas du tout, mais c'est une drôle de journée.

— Ah oui ? Vous avez eu des visites ? ajouta-t-elle en voyant les verres vides au salon.

— Harris Ashton et ensuite Linda. Quel est votre problème, à vous ?

Mellie ne se laissa pas démonter par la sécheresse de Sabra. Elle s'installa confortablement sur le canapé, les jambes sur l'accoudoir.

— Linda est venue vous annoncer qu'elle s'était séparée d'Allan ?

— Vous êtes au courant ?

— Pas vraiment, mais je me doutais que ça finirait mal. Est-elle très malheureuse ?

— Oui, naturellement ; elle souffre beaucoup.

— Il y a autre chose, vous paraissez soucieuse.

— Rien de bien grave.

— Sabra ! Je suis de votre côté, vous savez. Ne vous ai-je pas provoquée l'autre soir chez Harris pour que vous puissiez vous manifester et réclamer votre dû ?

— Vous le faisiez exprès ?

— Evidemment ! Je suis prête à tout pour un ami comme Ted. Comprenez bien que nous ne sommes que des amis, rien de plus.

— C'est ce que je croyais mais Linda m'a affirmé le contraire. Elle dit que c'est une vieille histoire qui a des hauts et des bas.

— Linda! s'exclama Melinda en éclatant de rire. Elle n'a jamais rien compris au caractère de Ted.

— Elle a été sa femme.

— Et alors ? Des années sont passées depuis ce temps et même à l'époque ils n'étaient pas sur la même longueur d'onde. Une seule chose la préoccupait : le transformer pour qu'il devienne tel qu'elle l'imaginait ! Il a résisté, elle a cherché quelqu'un d'autre.

— Vous les connaissez depuis longtemps ?

— Des siècles. C'est même moi qui les ai présentés. Linda vous a-t-elle dit autre chose ?

— Que Ted n'aimera jamais rien d'autre que sa musique. Que je devrais le quitter avant que ce ne soit lui qui le fasse.

— Pauvre Linda ! Elle refuse obstinément de regarder la vérité en face.

— Je les croyais les meilleurs amis du monde, Ted et elle ?

— Il essaie d'être amical mais Linda ne se fait toujours pas à l'idée de l'avoir perdu. Elle le tient pour seul responsable de leur divorce et s'ingénie à lui mettre tous les péchés de la création sur le dos. Naturellement, elle, elle n'y est pour rien !

— Pourquoi l'a-t-il épousée ?

— Parce qu'il a le cœur tendre et que Linda avait besoin de lui. Au début, elle l'adorait positivement mais elle n'avait pas confiance en lui. Quand il rentrait de tournée elle lui faisait des scènes et lui reprochait de s'être laissé séduire par toutes les femmes qui l'avaient approché. Elle rêvait d'un mari docile qu'elle aurait pu mener par le bout du nez. Elle a justement choisi un être généreux, certes, mais au sale caractère et très indépendant. Elle ne savait absolument pas se débrouiller avec lui, alors elle l'a quitté.

Mellie avait certainement raison. Elle connaissait bien Ted. Sabra se sentait nettement réconfortée.

— Vous vous sentez mieux ? demanda Melinda avec un petit sourire malicieux.

— Infiniment, merci.

— Et ce vieux renard de Harris, pourquoi est-il venu ?

— Pour me séparer de Ted, à son profit, naturellement ! Avec ses manières mielleuses, il est franchement ridicule ! Vous voulez boire ?

— Un Coca, si ce n'est pas abuser.

— Plus un petit quelque chose à manger ?

— Avec plaisir. J'avais peur que vous ne me le proposiez pas ! Vous êtes une de mes rares amies à faire la cuisine.

— J'ai du jambon, de la dinde froide, des oignons, du fromage, énuméra Sabra en l'entraînant à la cuisine. Que peut-on faire avec tout cela ?

— Des sandwiches de reines !

En silence, elles sortirent les provisions du réfrigérateur et s'installèrent à table.

— Je commence à comprendre pourquoi Ted vous aime tant, avoua Sabra, qui considérait Melinda d'un œil tout différent. La conversation est facile et détendue avec vous, vous êtes si drôle !

— Merci. Moi, je sais ce qui le séduit en vous.

— Dites-moi.

— Vous êtes belle comme le jour, intelligente, généreuse et vous ne vous laissez pas influencer par les mauvaises langues. Les caprices de notre cher lunatique lui-même ne vous frappent pas trop.

— On ne peut plus vrai ! dit Sabra en riant.

Redevenant sérieuse, elle ajouta :

— Je parierais que Ted et vous n'avez pas toujours été seulement bons amis.

— Eh bien ! Vous n'y allez pas par quatre chemins ! Pour tout dire nous avons fait quelques pas dans l'univers enchanteur de l'amour, mais sans grand succès. Nous n'allions pas ensemble. Franchement, je préfère l'avoir pour frère que pour amant. Mais il est merveilleux, non ? Il a tellement de talent que je suis jalouse ! Sa dernière chanson sort demain. Vous l'avez entendue ?

— Pas encore. Et vous ?

— Une des meilleures qu'il ait jamais écrites. Elle va battre tous les records de vente en moins de temps qu'il ne faut pour le dire.

— Le titre ?

— *Love Song* ! Jamais de discours superflus avec Ted, il va droit au but. Vous verrez, c'est une pure merveille. Une chanson de tous les temps, une telle réussite se fait rare à notre époque.

— Je serais heureuse qu'il me l'apporte, mais il déteste tellement s'entendre.

— Vous n'allez tout de même pas acheter ses disques ! Surtout pas cette chanson !

— Parce que je vis avec lui ?

— Si vous voulez. Vous lui faites sûrement beaucoup de bien. Il a beaucoup produit ces temps derniers. Il est toujours plus inspiré quand il est heureux.

— J'aimerais croire que je suis pour quelque chose dans cette production intensive. Malgré moi, j'en doute encore. Il y avait des lustres qu'il n'avait pas eu une chance comme *Vacancies*. Il a sauté dessus, c'est tout.

— Heureusement que vous m'en parlez, j'allais oublier pourquoi je suis venue ! J'ai rencontré Jeb Cabson hier ; il voudrait que Ted lui téléphone. Il a une comédie musicale en préparation et il pense à lui.

— Mellie ! Vous croyez que Ted pourrait ?

— Calmez-vous. C'est loin d'être fait. Il s'agit seulement d'une prise de contact. J'aurais pu aller le voir au studio mais j'ai hésité à le déranger. Jeb a entendu parler de la musique du film par Vladimir et il est intéressé par le travail de Ted.

— Il va être fou de joie ! Ce serait fantastique

133

pour lui. Il rêve de donner moins de concerts et de composer davantage !

— Je sais, il déteste les tournées. On le comprend. Cette vie n'a rien de drôle, surtout après tant d'années !

— Nous devrions allumer un cierge pour remercier Harris. C'est lui l'artisan de ces nouvelles chances.

— Harris ! répliqua Mellie d'un air scandalisé. Il y a une éternité qu'il aurait dû donner sa confiance à Ted. Il vous a fait des avances ?

— Décidément, personne n'a de secret pour vous.

— C'est seulement une impression. Je l'ai vu vous faire la cour l'autre soir, chez lui. Ted était vert de jalousie.

— Ted ? Jaloux de Harris ?

— Jamais il ne l'admettra mais c'est vrai. En fait ils ne s'entendent pas aussi bien qu'on pourrait le supposer. Ils sont si différents !

— Oui, je l'ai remarqué. Vous devez partir ou nous pouvons continuer à bavarder au soleil, sur la terrasse ?

— Rien ne me presse. Tout ce que j'écris en ce moment est banal. Un peu de repos ne me fera pas de mal.

Allongée sur une chaise longue, Melinda reprit :

— Vous allez me dire que je me mêle de ce qui ne me regarde pas, pourtant j'aimerais savoir si tout va bien maintenant entre vous et Ted ?

— Bien, oui, parfaitement, non. Il y a encore quelques petits problèmes mais nous finirons par les résoudre. Pourquoi ?

— J'ai su que vous vous étiez séparés un moment et je me demandais si vous vous étiez réconciliés. C'est toujours si difficile au début. On ne se connaît pas bien, on peut commettre des erreurs irréparables.

— C'est ce qu'il dit : il lui faut du temps.

— Il a raison. Vous l'aimez ?

— Passionnément.

— Bravo. Ne soyez pas jalouse de sa musique. Partagez-la avec lui. Jusqu'à présent c'est la seule chose solide et durable qu'il ait eue. Je l'ai vu s'y raccrocher désespérément quand il allait mal et elle l'a aidé. A vous de lui prouver que vous êtes aussi fidèle et qu'il peut compter sur vous. Je vous effraie ?

— Pas du tout. Vous m'aidez beaucoup, au contraire.

Jusqu'à la fin de l'après-midi, elles échangèrent des souvenirs de jeunesse, évoquèrent leurs illusions perdues, leurs erreurs, leurs espoirs.

— Il se fait tard, dit Mellie quand le soleil fut près de se coucher. Il faut que je rentre parce que j'ai rendez-vous avec un séduisant guitariste. Je ne voudrais pas le faire mourir d'impatience.

Sabra raccompagna la jeune femme jusqu'à sa voiture. Avant de la laisser partir, elle lui mit gentiment la main sur l'épaule.

— Merci, dit-elle simplement.

— Les vraies amies sont rares, répondit Melinda. Je suis contente que nous nous soyons rencontrées. Embrassez Ted pour moi. A bientôt.

Sabra retourna sur la terrasse et regarda le soleil s'enfoncer dans l'océan. Mellie lui avait mis du baume au cœur.

Rayonnante de joie, elle attendit le retour de Ted et le moment de lui annoncer la bonne nouvelle.

La journée avait mal commencé, mais elle se terminait joliment bien !

Chapitre 11

LA SONNERIE DU TÉLÉPHONE LA TIRA DE SES RÊVES ET Sabra entendit Ted répondre.

— Oui, dit-il encore tout ensommeillé. Qui est à l'appareil ? Oh ! Linda ! Que se passe-t-il ?

Il avait allumé et écoutait, les sourcils froncés.

— Calme-toi, j'arrive. Bon sang ! gronda-t-il en raccrochant.

— Que lui arrive-t-il ?

— Allan est revenu, il est comme fou. Il faut que j'y aille, elle est terrifiée.

— Vous voulez que je vous accompagne ?

— Je n'ai aucune envie que vous approchiez Allan quand il est dans cet état. Je vous appelle dès que les problèmes seront réglés.

— Restez aussi longtemps qu'il faudra. On ne peut pas laisser Linda toute seule.

Il l'embrassa avec un sourire et s'en alla en courant avant même d'avoir fini de s'habiller.

— Rendormez-vous et soyez sage, cria-t-il de l'entrée.

— Faites bien attention à vous, répondit-elle juste avant que ne claque la porte.

Une grande tristesse l'envahit. Tout allait si bien, avant cet appel au secours ! Pourquoi fallait-il que Linda soit toujours sur sa route aux plus mauvais moments ?

Ted avait sauté de joie quand Sabra lui avait parlé de Jeb Cabson. Il l'avait fait tournoyer comme un fou, l'avait couverte de baisers. Après une dînette devant la cheminée, ils s'étaient couchés de bonne heure et s'étaient aimés plus joyeusement que jamais. Tard dans la nuit, ils avaient parlé de l'avenir, de leur avenir ensemble.

Le cœur de Sabra se serra. Les propos de Linda lui revenaient en mémoire : « Jamais il ne vous dira qu'il vous aime. Jamais. »

Pourquoi cette petite phrase la torturait-elle ainsi ?

Certes, Ted ne lui avait pas fait de déclaration mais ses actes lui avaient prouvé son amour, c'était suffisant. Alors, pourquoi refusait-il de formuler ses sentiments avec des mots ? Elle s'efforça au calme et se répéta que Ted avait besoin de beaucoup de temps comme il ne cessait de le répéter.

Quatre heures du matin. A quoi bon rester au lit à ressasser des pensées troublantes ?

Sabra se leva, prit une douche pour se réveiller, puis elle se rendit à la cuisine pour se faire un café.

En attendant qu'il soit prêt, elle se dirigea vers la terrasse mais le temps ne lui permettait pas de sortir. Comme elle, de serein qu'il était au crépuscule il était devenu maussade ; le ciel s'était chargé de lourds nuages qui cachaient la lune et les étoiles, l'océan grondait.

Elle retourna à son café et, la tasse à la main, alla dans la salle de musique écouter le nouveau disque de Ted.

Au son de la voix tant aimée, un sourire apparut sur ses lèvres en même temps que surgissait le souvenir de leurs ébats de la soirée.

S'abandonner aux caresses et aux lèvres de Ted, il n'y avait rien de meilleur ! Ils avaient tant à découvrir et à partager. Ted n'était pas un homme d'habitudes. Sans cesse, il inventait de nouveaux plaisirs et entraînait leurs deux corps dans une ronde aussi variée que sa musique. Tantôt il n'était que tendresse, délicatesse, patience, douceur, tantôt sa passion l'emportait, tantôt il jouait d'elle comme d'un instrument aux cordes innombrables et sensibles.

Les premières mesures de la dernière chanson du disque résonnèrent dans son cœur et dans son âme comme un chant de sirène. Elle écoutait de toutes ses oreilles. Etait-ce la dernière-née ?

> *Ma chérie, ne me quitte pas,*
> *Maintenant que tu es à moi*
> *Enferme-moi dans ton amour*
> *Et restons enlacés à jamais.*

Si seulement il lui avait dit ces tendres mots au lieu de les offrir à un public anonyme !

Jamais il ne lui écrirait une chanson, l'avait prévenue Linda ! Mais ce n'était pas une chanson qu'elle voulait, c'était son amour. Qu'il le dise et qu'il le prouve pour toute la vie.

Elle voulait être sa femme et pas seulement sa compagne. Quand deux êtres s'aiment vraiment, n'est-il pas normal qu'ils veuillent sceller leur union et proclamer leur bonheur devant le monde entier en se jurant fidélité officiellement ?

L'éducation que Sabra avait reçue, assez sévère et traditionnelle, ne la préparait pas à vivre en dehors du mariage.

Le téléphone sonna.

— Allô ? dit-elle, la gorge nouée.

— C'est moi, Ted.

— Tout est rentré dans l'ordre ?

— Pas exactement. Allan s'est évanoui. Je vais le reconduire à son appartement de Los Angeles. Je ne veux pas que Linda reste seule, alors je vous l'amène, si vous voulez bien.

— Naturellement. Le café est prêt.

— Parfait, répondit-il avec un soupir de soulagement. A tout de suite.

Quelques minutes plus tard, il confia Linda aux bons soins de Sabra et, après un tendre baiser, il se sauva.

Linda n'était pas précisément au mieux de sa forme. Avec ses yeux rouges et gonflés, ses traits tirés, sa pâleur, elle était l'image même de la tristesse et de la désolation. Les larmes ruisselaient sur ses joues sans qu'elle songe à les arrêter.

Gentiment, Sabra la prit par les épaules et l'emmena à la cuisine où elle lui servit un bon café.

— Buvez, lui dit-elle, cela vous fera du bien. Après, je vous préparerai des œufs au plat.

— Je ne pourrai rien avaler.

— Il ne faut pas vous laisser aller. Ce n'est pas la fin du monde, secouez-vous. Les mauvais moments seront vite oubliés.

— C'est facile à dire pour vous.

— Bien sûr, parce que moi je vois la situation telle qu'elle est. Il n'y a rien de dramatique, personne n'a été blessé, vous vous remettrez de cette déception.

Laissant à Linda le temps de reprendre un peu ses esprits, Sabra s'activa, fit des œufs au bacon et du pain grillé. Quand le couvert fut mis, elle servit Linda.

Celle-ci se fit tirer l'oreille mais finalement elle déjeuna avec assez d'appétit.

— Allan ne s'est pas évanoui, dit-elle. C'est Ted qui l'a assommé.

— Ted ?

— Oui. Allan devenait méchant et refusait de s'en aller. Ted a employé les grands moyens : un petit coup sur la nuque et c'était fini.

Sabra avait toutes les peines du monde à imaginer la scène. Ted faisant acte de violence ? Lui, si gentil !

— Un coup bien appliqué appris dans les rues de Brooklyn, expliqua Linda.

Sabra ne souhaitait nullement s'appesantir sur les faits et gestes de Ted. Linda ne manquait jamais de lui tourner les sangs quand elle parlait de lui.

— Allan était déjà ivre quand il est revenu ?

— Bien sûr. Il y a belle lurette qu'il n'y a plus une goutte d'alcool à la maison. J'étais couchée. Il est venu directement dans la chambre et a commencé à hurler qu'il voulait rester. Il a essayé de me... C'était horrible. Finalement, je lui ai échappé et j'ai appelé Ted.

— Vous comptez beaucoup sur Ted, n'est-ce pas ?

— Il a toujours été là quand j'ai eu besoin de lui. Maintenant vous allez me l'enlever.

Sabra se fit la plus compréhensive possible.

— Linda, Ted ne vous appartient plus depuis des années. Mon amour pour lui n'affecte en rien son amitié pour vous.

— Je n'ai jamais cru que quelqu'un pourrait me l'enlever, reprit Linda comme si elle n'avait rien entendu. J'étais tellement persuadée qu'il ne s'attacherait jamais à personne. Quand vous êtes partie, j'étais sûre que tout était fini. Je suis venue le voir, il était complètement bouleversé. Quand il m'a annoncé qu'il allait vous rechercher, j'ai compris que cette fois il était sérieusement accroché. Vous n'avez jamais essayé de le faire changer, n'est-ce pas ?

— Sûrement pas.

— J'aurais pu lutter contre une rivale en chair et en os. Mais contre la musique, que voulez-vous faire ?

— Pourquoi devrais-je me battre contre sa musique ? Moi aussi j'ai ma carrière et, quand je travaille, il passe au second plan momentanément.

— Evidemment, moi je n'ai pas de métier et j'ai du mal à comprendre que ce soit si important. C'est drôle, ajouta-t-elle après un moment de réflexion, c'est seulement maintenant que je prends notre divorce au sérieux. Jusqu'à présent, j'avais plutôt l'impression que nous étions seulement séparés. Au fond, c'est aussi bien puisque je n'ai jamais eu confiance en lui. Je ne l'ai jamais compris.

— Qu'allez-vous faire pour Allan ? demanda Sabra pour la ramener au présent.

— Allan ? Je tiendrai bon. Il doit absolument se faire soigner et me revenir.

Quand Linda entendit la voiture de Ted, elle se précipita à la porte et se jeta dans ses bras dès qu'elle le vit.

Sabra était mal à l'aise vis-à-vis de Linda. Elle ne voulait pas lui laisser prendre trop d'importance ni la renvoyer à sa solitude. La malheureuse avait besoin de réconfort et Ted pouvait l'aider mieux que quiconque.

— Oh ! Ted, gémit Linda, comment va Allan ?

— Il est dans son lit et dort comme un bébé. J'ai laissé un mot sur sa table de chevet pour le cas où il ne se souviendrait de rien. Maintenant, tu vas rentrer chez toi, ta mère t'attend.

— Ma mère ?

— Je suis allé la chercher pour que tu ne restes pas seule. C'est une affaire familiale, il faut la régler entre vous. Ta mère est ravie de ma confiance et prête à te dorloter. Allez, va.

Linda n'avait pas caché sa déception quand Ted

lui avait gentiment rappelé qu'il ne faisait plus partie de sa famille. Maintenant, elle avait compris.

Sabra était soulagée. Ted avait su trouver les mots qu'il fallait. Elle l'aimait encore plus en cette minute qu'une heure avant.

— Vous devez être épuisé, lui dit-elle tendrement quand il la rejoignit à la cuisine pour se servir du café.

— Complètement !

Il alla à la fenêtre et regarda tomber les premières gouttes de pluie. Il avait l'air distant, de mauvaise humeur.

— Pourquoi ne m'avez-vous pas dit que Harris était venu ?

— C'est Linda qui vous a mis au courant ?

— Oui. Pourquoi ne m'en avez-vous pas parlé ?

— J'ai oublié. J'étais tellement excitée par la nouvelle que m'avait apportée Melinda. De toute façon, c'était sans importance.

— Que voulait-il ?

— Moi.

— Et qu'avez-vous répondu ?

— Vous êtes trop bête, à la fin, cria-t-elle tout à coup, hors d'elle. Quelle suspicion ridicule ! Si je pouvais m'intéresser à quelqu'un d'autre que vous, je ne choisirais certainement pas Harris, il est trop déplaisant.

Pourquoi se montrait-il jaloux ? Avait-il si peu confiance qu'il doutait d'elle à la première occasion ?

Elle s'approcha et l'embrassa dans le cou.

— Allons nous recoucher, murmura-t-elle. Un peu de tendresse et d'amour nous fera du bien. Nous sommes fatigués et nous disons des bêtises.

— Non, pas maintenant. Une autre fois, d'accord ?

Sans un regard pour elle, il se dirigea vers la chambre.

— Pas si vite ! dit-elle avec un tel accent de colère que Ted s'arrêta et lentement se retourna. Je ne sais pas ce que Linda vous a dit, et je m'en moque. Mais vous devez choisir : c'est elle que vous écoutez ou moi. Je vous aime et je n'ai pas peur de le dire.

— Ce qui signifie ?

— Vous le savez parfaitement. L'amour ne m'effraie pas, moi. Je suis prête à crier à tous les vents que je vous aime, au beau milieu de la gare centrale si vous voulez.

— Me croyez-vous incapable d'en faire autant ?

— Si vous ne pouvez pas me le dire à moi, je ne vois pas très bien comment vous le diriez aux autres.

Un énorme éclat de rire le secoua puis il repartit vers la chambre. Sur le seuil, il se retourna et la dévisagea.

— Qu'attendez-vous de moi, Sabra ? Que voulez-vous exactement ?

Sans attendre sa réponse, il s'enferma dans sa chambre.

Sabra s'écroula sur une chaise de la cuisine, la tête dans les mains. Il ne savait pas ce qu'elle voulait ! Elle venait de le lui dire mais il n'avait pas écouté !

Quand bien même il prononcerait les trois petits mots qu'elle attendait tant, se sentirait-il totalement engagé ? Elle l'aimait et voulait être partie intégrante de sa vie, irremplaçable. Jusqu'à présent, elle n'avait pas l'impression de l'être ! Elle ne voulait pas être la maîtresse de Ted. Ni sa compagne. Elle voulait être sa femme, porter son nom, pouvoir regarder ses parents et ses amis en face, sans se sentir dans une situation gênante, marginale.

Si elle voulait en sortir, elle avait deux options : ou bien elle lui forçait la main ou bien elle prenait son mal en patience en espérant qu'un jour il lui avouerait son amour. Le quitter était exclu. Son essai s'était révélé infructueux. Elle continuait d'exister mais elle ne vivait plus.

Elle se leva et alla s'allonger sur le canapé du salon. Pas question d'aller le rejoindre maintenant. Il l'avait repoussée et elle était incapable d'oublier aussi vite.

Le ronflement du moteur de la Porsche l'ayant avertie que Ted n'était plus loin, Sabra s'extirpa de son fauteuil et éteignit la chaîne stéréo.

D'un revers de main, elle s'essuya les yeux. Jamais une chanson ne l'avait autant émue que la dernière-née de Ted. Comment pouvait-il bâtir le thème de ses mélodies sur l'amour sans l'accepter pleinement dans la vie ? Elle aurait pourtant cru que la musique trahissait la personnalité de ses auteurs. Les autres peut-être, pas Ted. Ses sentiments étaient enfouis beaucoup trop profond.

Le matin même, il avait fait une excellente démonstration de son indifférence, ou en tout cas de son habileté exceptionnelle à éviter tout conflit.

Il l'avait réveillée, dans le salon, pour lui dire qu'il partait pour Los Angeles où l'attendait Jeb Cabson. Il n'avait fait aucune allusion à la scène de la nuit et ne s'était pas non plus étonné de la trouver sur le canapé.

Quand il l'avait embrassée distraitement avant de partir, elle l'aurait volontiers roué de coups pour qu'il comprenne enfin ce qu'elle ressentait.

Ayant besoin de réconfort, elle avait téléphoné à ses parents et, après sa tendre conversation avec eux, pris sa résolution : elle allait mettre Ted au pied du mur ! Elle ne pouvait plus vivre dans l'incertitude. Pour elle, l'amour se partageait ou il n'avait pas sa raison d'être.

Quand Ted pénétra dans la maison, elle sentit ses

forces l'abandonner. Il était trop beau, trop séduisant !

— Sabra ! s'écria-t-il, en la prenant dans ses bras,
vous avez devant vous un futur auteur de comédie
musicale pour Broadway !

Ses lèvres étaient brûlantes, douces, mais Sabra
voulait à tout prix s'en éloigner. S'il l'embrassait
encore elle n'aurait plus aucun courage.

Elle se débattit et il la laissa s'écarter.

— Que vous arrive-t-il ? Vous n'êtes pas contente
pour moi ?

— Bien sûr que si.

— On ne dirait pas ! Vous êtes de mauvaise
humeur à cause de ce qui s'est passé cette nuit ?

— Vous vous en souvenez donc ?

— Evidemment.

Un soupir lui échappa et il alla s'asseoir au salon.

— Jeb Cabson veut que je travaille pour lui dès
que je rentrerai de tournée. Combien de jours nous
reste-t-il avant le départ ?

— Dix.

— Juste le temps de prendre un peu de vacances.
Qu'en pensez-vous ?

Sabra n'en croyait pas ses oreilles. Comment
pouvait-il se montrer si indifférent à ce qu'elle
ressentait ? Elle tremblait de fureur. Tous leurs
problèmes se résoudraient-ils pendant quelques
jours de vacances romantiques ?

— C'est une très bonne idée, répondit-elle enfin.
J'ai justement envie d'aller voir mes parents.

— Et moi ?

— Ce sera pour une autre fois.

Incontestablement la flèche avait porté. Elle avait
voulu le blesser et, maintenant qu'elle y avait
réussi, elle ne pouvait le supporter. Elle détourna le
regard et fixa l'océan.

— Je croyais que vous étiez prête à vous battre

pour moi, dit Ted, et vous rendez les armes à la première occasion.

— Probablement ne suis-je pas aussi bonne combattante que je le pensais. Je lutte toute seule contre moi-même.

— Alors vous estimez que je ne vaux pas un petit effort ?

Encore ce satané défaitisme ! Sabra avait envie de hurler. Un reste d'amour-propre la retint. Elle répondit presque calmement :

— A quoi bon me battre pour rester votre maîtresse ?

— Ce n'est pas ce que vous êtes ! Vous le savez très bien.

— Que suis-je alors ? Une amie, une compagne, une passade ? Aucun de ces titres ne me convient et ne représente ce que j'éprouve pour vous.

— Ce sont vos termes, pas les miens. Comment pouvez-vous être si sûre de nous ? Comment pouvez-vous affirmer que ce que nous partageons va durer une vie entière ?

— Et vous, comment pouvez-vous en douter ?

L'air navré, il secoua la tête et s'approcha de la baie vitrée.

— Le divorce est une telle horreur, je ne veux plus jamais connaître semblable épreuve.

— Je ne suis pas en train de vous demander le divorce ! Avec vos doutes et vos discours, vous venez de m'éclairer.

— Qu'avez-vous compris à demi-mot ?

— Vous ne m'aimez pas, Ted. Si vous n'êtes pas certain que nous pouvons passer toute notre vie ensemble, c'est que je me suis trompée sur vos sentiments pour moi.

Il fit un pas vers elle.

— Non, il est trop tard, je ne peux plus vivre de cette façon. Je suis trop vieux jeu, je suis en retard d'une bonne cinquantaine d'années !

— Sabra, ne faites pas cela. Ne renoncez pas simplement parce que j'ai du mal à...

— Vous engager ? finit-elle pour lui. Malheureusement dans mon milieu c'est indispensable avant que deux personnes ne songent à s'installer et à vivre ensemble.

— Vous ne pouvez pas essayer d'être un peu moins conformiste, un peu plus conciliante ?

Timidement, il s'approcha et essuya les larmes qui coulaient sur les joues de Sabra.

— Vous ne pouvez pas transgresser vos principes pour moi ?

— Je l'ai fait, Ted. Désormais, je ne peux plus. A vous de décider si je reste ou si je m'en vais.

— Vous continuerez à travailler pour moi ?

— Je remplis toujours mes obligations. Si vous croyez que je ferai comme celles qui m'ont précédée et que je serai votre amie, vous vous trompez. Je sais perdre mais je ne suis pas douée pour la comédie.

Quand elle referma sur elle la porte de la chambre d'ami, elle eut l'impression de s'enterrer vivante.

Chapitre 12

QUELQUES NOTES... SABRA OUVRIT LES YEUX, ÉMERGEANT difficilement d'un sommeil agité. Elle regarda sa pendulette. Il était à peine plus de minuit, l'heure préférée des sorcières.

Elle se leva. Le piano résonnait toujours. Jamais aucune musique ne lui avait paru aussi émouvante.

Sans prendre la peine de mettre une robe de chambre ni des pantoufles, elle quitta la chambre et traversa le hall. La porte de la salle de musique était entrouverte. Ted, les sourcils froncés, laissait courir ses doigts ; par moments, il reprenait et changeait quelques notes.

— Vous composez une nouvelle chanson ? hasarda Sabra.

Il se retourna, le sourire aux lèvres.

— Oui, mais elle est loin d'être terminée.

— Il est tard. Vous n'allez pas vous coucher ?

— Non. Sans vous mon lit est trop froid.

Sabra se mordit les lèvres. L'angoisse lui tordait le cœur. Pourquoi rendait-il les choses si difficiles ?

— A propos, dit-il comme si de rien n'était, comment trouvez-vous mon dernier succès ?

— *Love Song* ? Fantastique ! C'est ma préférée.

— Ah bon ! J'y pense depuis que vous avez fermé votre porte. Je me demandais pourquoi elle est si émouvante. Il y avait bien longtemps que je n'avais écrit quelque chose d'aussi vibrant, d'aussi sentimental. Les paroles n'ont rien d'extraordinaire, la musique est presque quelconque et pourtant elle vous va droit au cœur.

— Oui, répondit Sabra en fixant le bout de ses pieds.

Elle n'avait pas envie de parler musique ou travail. De toute évidence, cette conversation anodine avait un sens caché. Cherchait-il un biais pour lui dire que tout était fini entre eux ?

Elle ne put retenir ses larmes. Saurait-elle perdre avec élégance ? Elle aurait préféré ruer dans les brancards plutôt que de rester là, immobile, l'air indifférent.

— C'est plus qu'un succès, cette chanson, continua Ted, c'est un triomphe. Personne ne s'attendait à de pareilles ventes. Le public est plus subtil que nous ne le pensons généralement et il a senti que ce n'était pas une petite ballade écrite comme ça, de chic.

Sabra l'écoutait d'une oreille distraite. Le souvenir de leurs étreintes la hantait.

Quand il se tut, elle leva les yeux et s'aperçut qu'il la fixait intensément. Il n'avait pas allumé la lampe posée sur le piano, mais des bougies à la lueur desquelles son visage prenait d'étranges couleurs dorées et mouvantes.

— J'ai écrit cette chanson quand vous êtes partie pour New York, Sabra. Je ne pouvais pas dormir et, à bout de patience, je suis venu m'asseoir au piano. Il était minuit à peu près, comme maintenant, l'heure où les amants s'enlacent et oublient le reste du monde. Je vous traitais de tous les noms possibles et imaginables et puis je me suis mis à composer, à écrire. C'était facile, les mots et les notes venaient tout seuls du plus profond de mon être. Quand ce fut terminé, j'avais l'impression que nous étions unis à jamais.

— Je ne savais pas, murmura Sabra qui commençait à peine à entrevoir ce qu'il sous-entendait. Je n'ai pas pensé une seconde que cette chanson parlait de nous.

— De vous, Sabra. C'est ma façon de crier au beau milieu de la gare centrale que je vous aime.

Les larmes ne coulaient plus maintenant ; elles étouffaient littéralement Sabra.

— Pourquoi ne m'avez-vous pas dit cela plus tôt ?

— Parce que je ne le savais pas. Je viens seulement de m'en rendre compte.

— Oh ! Ted, tout est si difficile avec vous.

— Je sais. Je suis désolé de vous avoir rendue si malheureuse. Je n'étais pas plus fier que vous, si ça peut vous consoler.

— Pas vraiment, non.

Elle lui sourit mais ne bougea pas, ne dit rien de plus. C'était merveilleux de l'entendre avouer son amour mais ce n'était pas encore le paradis. Il manquait encore quelque chose.

Ted attendait. Quand il comprit qu'elle ne broncherait pas, son regard se voila un instant avant de se poser sur elle et de la détailler de la tête aux pieds.

— Sabra, murmura-t-il, vous êtes la plus belle créature que j'aie jamais vue. Ne partez pas, je suis à vous et j'ai besoin de vous.

Le tremblement qu'elle perçut dans sa voix fut sa perte. Avant d'avoir compris qu'elle bougeait, elle était dans ses bras et soupirait d'aise.

— Je vous aime, Sabra. Ces mots me semblent si pauvres pour exprimer les sentiments que vous m'inspirez. Je les ai trop employés dans mes chansons, ils ne signifient plus grand-chose pour moi.

— Ted, répondit-elle en se frottant la joue contre son épaule, il y a une grande différence entre les chanter et les dire.

— C'est vrai. Je vous aime! Je vous aime! Mon Dieu! que c'est bon!

Quand leurs lèvres se joignirent, Sabra crut sa dernière heure arrivée. Son cœur battait si fort qu'elle était persuadée qu'il allait exploser.

— Faut-il que je rencontre vos parents avant de vous épouser?

Cette question tant attendue ne la calma pas.

— Je suis sûre qu'ils seront d'accord. Nous pouvons nous marier et les voir plus tard.

— Nous pourrons donc faire notre visite au juge demain.

— Avez-vous encore des doutes?

— Moi? Regardez-moi, Sabra. Comment pourrais-je avoir des doutes alors que j'ai ma déesse dans mes bras?

— J'aime vous écouter, murmura-t-elle en plongeant son regard dans celui de Ted. Votre voix est si belle et vous dites de si jolies choses!

— Après notre mariage nous irons quelques jours en voyage de noces, avant le début de la tournée.

— Je n'oserais pas me plaindre.

— Sabra, je ne suis pas facile à vivre.

— A qui le dites-vous? répondit-elle en riant et en commençant à lui déboutonner sa chemise. D'autre part, vivre sans vous est impossible!

— Sans vous, ce n'est pas gai non plus!

Aussitôt, il l'enleva dans ses bras et l'emporta. Avec une infinie délicatesse, il la déposa sur le lit et s'allongea à ses côté.

— J'aime trop vous avoir là, murmura-t-il. A dater d'aujourd'hui, je ne veux plus vivre une minute sans vous.

— J'obéirai avec plaisir à un commandement aussi agréable.

— Ne parlons pas d'obéissance entre nous, c'est plus prudent.

Il étouffa son rire sous ses baisers. Sabra s'abandonna.

Ensemble ils composèrent l'une de ces longues rhapsodies dont ils avaient le secret...

Ce livre de la *Série Coup de foudre* vous a plu.
Découvrez les autres séries Duo qui vous
enchanteront.

Romance, c'est la série tendre, la série du rêve et
du merveilleux. C'est l'émotion, les paysages
magnifiques, les sentiments troublants.
Romance, c'est un moment de bonheur.

Série Romance : 4 nouveaux titres par mois.

Désir, la série haute passion, vous propose
l'histoire d'une rencontre extraordinaire entre
deux êtres brûlants d'amour et de sensualité.
Désir vous fait vivre l'inoubliable.

Série Désir : 6 nouveaux titres par mois.

Harmonie vous entraîne dans les tourbillons d'une
aventure pleine de péripéties.
Harmonie, ce sont 224 pages de surprises et
d'amour, pour faire durer votre plaisir.

Série Harmonie : 4 nouveaux titres par mois.

Amour vous raconte le destin de couples
exceptionnels, unis par un amour profond et
déchirés par de soudaines tempêtes.
Amour vous passionnera, *Amour* vous étonnera.

Série Amour : 4 nouveaux titres par mois.

Série Coup de foudre : 4 nouveaux titres par mois.

Duo Série Coup de foudre n° 10

CHARLOTTE WISELY

Les magies de l'amour

Pleine de charme, photographe de talent,
Eve Forsythe a besoin, pour une série de photos,
d'un modèle masculin. Quand l'agence de
mannequins à laquelle elle s'est adressée lui
présente Ray Halpern, Eve découvre un homme
exceptionnel : grand, blond, sensuel, beau
comme un dieu grec.

Très vite, leur attirance est réciproque.
Eve, bouleversée, se sent prise dans un tourbillon
de plaisirs inconnus. Hélas ! Le choc est rude
lorsqu'elle surprend, un soir, Ray au bras d'une
femme éblouissante, arrogante, qui semble
en termes trop familiers avec lui. Quel jeu
joue-t-il ? Que faire ? Et surtout que croire ?

Série Coup de foudre

Duo Série Coup de foudre n° 11

DEBORAH BENET

Rendez-vous au bord du Nil

Pour créer son agence de voyages en Egypte,
Nora Sherrow doit rencontrer Talat Fazzim,
le directeur du Tourisme. Organisée, sûre d'elle,
la jeune femme s'apprête pour ce rendez-vous
dont dépend toute la réussite de son affaire.

Mais l'homme qui se présente à elle ne ressemble
pas au personnage qu'elle attendait. Troublée,
Nora découvre un être d'une étrange beauté,
mystérieux, magique, imprévisible comme
le fleuve de son pays. Dès cet instant, bien
des choses risquent de changer...

Série Coup de foudre

Duo Série Coup de foudre n° 12

ELISA STONE

L'instant d'un regard

Entourée de Hannah, sa fidèle gouvernante,
et de Pamela, la petite fille qu'elle a adoptée,
Carol Delmastro mène une existence bien réglée.
Illustratrice, elle consacre ses journées au travail
et ses soirées à Pamela.

Un jour, en rentrant chez elle, elle croise son
nouveau voisin de palier, dont elle a le temps
d'apercevoir le regard étrangement profond.
Un regard que, en dépit d'elle-même, Carol n'arrive
pas à oublier. Mais si elle savait qui est cet
inconnu, et les surprises qu'il lui réserve,
elle serait encore beaucoup plus troublée.

Série Coup de foudre

Ce mois-ci
Duo Série Romance

Duo Série Désir

Le mois prochain
Duo Série Harmonie

Duo Série Coup de foudre

Achevé d'imprimer sur les presses de l'Imprimerie Bussière
à Saint-Amand-Montrond (Cher)
le 20 juin 1985. ISBN : 2-277-82009-1
Nº 1425. Dépôt légal juin 1985. Imprimé en France

Collections Duo
27, rue Cassette   75006 Paris
diffusion France et étranger : Flammarion

Coup de foudre